edition suhrkamp 2262

Von Bonn nach Berlin, vom Gemeinsamen Markt zum politisch verfassten Europa, von der Machtpolitik zur Weltbürgergesellschaft – das sind die Stichworte für »Übergänge«, die Jürgen Habermas zu politischen Stellungnahmen herausgefordert haben. Den Hintergrund für diese Kommentare aus den letzten drei Jahren bilden Gedanken zu einem dynamischen Verständnis demokratischer Verfassungen, zu den symbolischen Ausdrucksformen des nationalen Selbstverständnisses und zu den religiösen Wurzeln modernen Bewusstseins.

Jürgen Habermas
Zeit der Übergänge

Kleine Politische Schriften IX

Suhrkamp

edition suhrkamp 2262
Erste Auflage 2001
© Suhrkamp Verlag Frankfurt am Main 2001
Erstausgabe
Satz: Jung Crossmedia, Lahnau
Druck: Nomos Verlagsgesellschaft, Baden-Baden
Umschlag gestaltet nach einem Konzept
von Willy Fleckhaus: Rolf Staudt
Printed in Germany

1 2 3 4 5 6 – 06 05 04 03 02 01

Inhalt

VII. Jerusalem, Athen und Rom

Vorwort

Der Friedenspreis des Deutschen Buchhandels soll nicht ein akademisches Werk würdigen, sondern eine intellektuelle Rolle auszeichnen. Das ermutigt mich, eine Reihe »Kleiner Politischer Schriften« fortzusetzen, die von »Protestbewegung und Hochschulreform« (1969) über »Die Neue Unübersichtlichkeit« (1985) bis zur »Normalität einer Berliner Republik« (1995) reichen. Die rot-grüne Regierung befindet sich freilich immer noch im Übergang zur Berliner Republik – zu deren lautstark beschworener Normalität. Ein Mentalitätswandel lässt sich eben nicht *lancieren*. Auch die Europäische Union verharrt im Übergang zu der erweiterten und gefestigten politischen Gestalt, die sie noch sucht. Ebenso sehr beunruhigen uns die Risiken des Übergangs vom klassischen Völkerrecht zur Weltbürgergesellschaft; denn von einer Weltinnenpolitik ohne Weltregierung sind wir noch weit entfernt.

Der ins Stocken geratene ökonomische Aufschwung scheint einer Zeit der stockenden Übergänge die Signatur zu verleihen.

Die hier versammelten Gespräche, Interventionen, Vorträge und Rezensionen stammen aus den letzten drei Jahren. Vielleicht erfüllen sie auch die Funktion, die mein Verleger im Auge hatte, als er mich mit dem Vorschlag irritierte, aus gegebenem Anlass ein »Lesebuch« zusammenzustellen.

Starnberg, im Juni 2001   *Jürgen Habermas*

I.
Von Bonn nach Berlin

Das (in DIE ZEIT vom 8. Oktober 1998 veröffentlichte) Gespräch mit Gunter Hofmann und Thomas Assheuer über die »Chancen von Rot-Grün« fand unmittelbar nach den Bundestagswahlen statt.

1. Es gibt doch Alternativen!

Frage: Herr Habermas, zum ersten Mal in der Geschichte der Bundesrepublik ist ein Kanzler aus dem Amt gewählt worden. Lässt sich daraus ein Rückschluss auf das Selbstbewusstsein der Demokratie ziehen?

J. H.: Ich denke, ja. Bisher hatten taktierende Parteien während der laufenden Legislaturperiode einen Wechsel der Koalitionen unter sich ausgemacht. Daraufhin mussten Ludwig Erhard und Helmut Schmidt gehen. Selbstbewusste Bürger nehmen die Abwahl eines Kanzlers selbst in die Hand. In einer Demokratie müssen Bürger die Überzeugung haben, dass sie mit ihrer Wahlentscheidung auf eine verstaatlichte, eingekapselte Politik an bestimmten Wendepunkten doch noch Einfluss nehmen können. In der alten Bundesrepublik hat es einige Jahrzehnte gedauert, bis eine solche demokratische Gesinnung auch die Gemüter erfasst hat. Ich habe den Eindruck, dass dieser Prozess jetzt gleichsam besiegelt worden ist.

Frage: Helmut Kohl war für Sie immer ein Garant für die Westorientierung der Bundesrepublik. Wird er Ihnen fehlen?

J. H.: Alles Kritische ist gesagt. Kohls historisches Verdienst war die Verklammerung der nationalen Wiedervereinigung mit der Einigung Europas. Aber meine Jahrgänge erkennen in ihm auch einen Generationsgenossen wieder. Ich denke an das beinahe schon körperliche Dementi jener Art von Staatsästhetik, die von unseren elitären Geistern, vor allem seit 1989, eingefordert wird. Kohl hat die monströse Inszenierung der Reichsparteitage und das Chaplineske unserer NS-Staatsschauspieler offenbar nicht vergessen. Gewiss, wir haben über das Provinzielle, das Ungeformte seiner Gesten und Worte oft gestöhnt. Aber mit der Deflationierung hohler Ansprüche, mit der Trivialisierung öffentlicher Repräsentation ist mir Kohl auch sympathisch geworden. Darin steckt ein Stück Gegenmentalität, die, wenn das nicht zu vereinnahmend klingt, meine Generation gewollt hat. Etwas davon haben wir vielleicht gegen das geschwollen Innerliche, verdruckst

Pompöse und zwanghaft Sublimierte deutscher Geistesallüren auch durchgesetzt. Kohl hat übrigens ein Verdienst wider Willen. Das Scheitern seiner »geistig-moralischen Wende« funktionierte als Lackmustest. Als Kohl nach dem Regierungsantritt nicht mehr so konnte, wie er wollte, in Verdun, in Bitburg und anderswo, zeigte sich nämlich, dass das Land liberal geworden war. Eine mentale Konstante der frühen Bundesrepublik ist der alte Carl Schmittsche Argwohn gegen die »inneren Feinde« von links gewesen. Diese tief sitzende Angst vorm Subversiven hat sich in der Pogromstimmung vom Herbst 1977 noch einmal entladen. Kohl hat nicht mehr aus diesem Affekt gelebt.

Frage: Nun wird es eine rotgrüne Regierung geben. Handelt es sich dabei nur um einen politischen Wechsel? Oder auch um einen kulturellen Milieuwechsel?

J. H.: Als am Wahlabend das beispiellose Ausmaß der linken Stimmenmehrheit klar wurde, haben sich wohl viele von uns Älteren an einen Tag im Frühjahr 1969 erinnert. Heinemann hat damals, nach seiner Wahl zum Bundespräsidenten, von einem »Stück Machtwechsel« gesprochen. Und den hat Willy Brand wenig später mit einer hauchdünnen Mehrheit für die sozialliberale Koalition vollzogen. Damals fand das lange verzögerte Ende der Ära Adenauer in der integren Person seines Gegenspielers Heinemann eine überzeugende Verkörperung. Politisch-moralisch hatte ich die vorangegangene Zeit als eine durch fatale personelle und mentale Kontinuitäten vergiftete Periode erlebt. Aber jene Zäsur war durch zehn Jahre verbissener intellektueller Opposition und dann durch weitere zehn Jahre offensiver Konfrontation vorbereitet worden. Die Politik hat damals den Umschlag des kulturellen Klimas bloß nachvollzogen. Davon kann heute keine Rede sein. Am diffusen und lähmenden kulturellen Klima hat sich hier seit Jahren nichts geändert, auch nicht durch die paar Muntermacher, die an den Schnittstellen von pausbäckigem Neoliberalismus und verbleichender Postmoderne ihre Späße treiben. Die Aufregung über den Erdrutsch von gestern ist ja heute schon fast vergessen.

Frage: Kann es überhaupt ein rotgrünes Projekt geben? Oder sind angesichts der geringen politischen Handlungsspielräume nur mehr »Variationen der Mitte« möglich?

J. H.: Ein rotgrünes Projekt gab es bis zum Ende der achtziger Jahre, solange man mit dem Sieg Oskar Lafontaines bei der nächsten Bundestagswahl rechnen konnte. Unter den Realitätszwängen von deutscher Einheit und globalisierter Wirtschaft ist dann das Projekt zum Schlagwort »Modernisierung und soziale Gerechtigkeit« abgemagert – gesalbt mit einem Tropfen ökologischer Steuerreform, wenn auch nur zur Gegenfinanzierung. Daran stört mich weniger die pragmatische Ernüchterung. Denn die ganze Perspektive hing an der falschen Prämisse, dass sich der angestrebte soziale und ökologische Umbau im nationalen Rahmen auf den Weg bringen ließe. Inzwischen muss sich eine weitgehend defensiv gewordene Politik auf Bedingungen einer veränderten, und zwar postnationalen Konstellation einstellen. Was mich stört, ist das Fehlen einer neuen Perspektive. Heute reden alle vom »postideologischen« Zeitalter. Aber in den letzten 50 Jahren, seit Daniel Bells »The End of Ideology«, ist diese Parole viel zu oft ausgerufen und wieder dementiert worden, als dass sie noch wahr sein könnte. In der Politik bewegt sich nichts ohne ein Thema, an dem sich die Geister scheiden. Und das fehlt.

Frage: Nach der Erfahrung mit den alten ist man neuer Projekte einigermaßen überdrüssig. Was verstehen Sie unter einem »Projekt«?

J. H.: Ein »Projekt« kann nur heißen, dass man ein kontroverses Thema hat und dass man eine Analyse vorlegt, die wahrgenommene Probleme klarer definiert und einige politische Ziele plausibler macht als andere. Im Wahlkampf gab es das nicht. Der Herausforderer hat ohnehin jede Polarisierung, jeden Stein des Anstoßes vermieden. Und an den entspannten Gesichtern der Verlierer konnte man noch am Wahlabend sehen, dass sie es mit der »Richtungsentscheidung« nicht so ernst gemeint hatten.

Frage: Das heißt: Es gibt keine Alternativen.

J. H.: Doch. Das Problem muss man nicht lange suchen, es brennt der neuen Regierung unter den Nägeln: Was kann sie gegen die Massenarbeitslosigkeit tun? Nun ist aber der Handlungsspielraum nationaler Regierungen in zwei empfindlichen Hinsichten geschrumpft. Der Staat kann die Steuerressourcen der einheimischen Wirtschaft immer weniger effektiv ausschöpfen. Und für die Makrosteuerung einer Wirtschaft, die immer weniger Volkswirtschaft ist, versagen die bekannten Instrumente. Deshalb stellt sich die Frage nach dem Verhältnis von Politik und Wirtschaft heute auf eine neue, nämlich reflexive Weise. Die Politik muss sich fragen, ob sie sich mit einer Politik der Deregulierung immer weiter selber abwickeln soll. Übervereinfachend formuliert: Weist der Wirkungsverlust der nationalen Politik in die Richtung einer Abdankung von Politik überhaupt, oder kann sich das politische Medium auf anderen Ebenen regenerieren und den transnationalen Märkten nachwachsen? Damit stellt sich das Thema: Kann und soll es eine demokratisch legitimierte Machtausübung jenseits des Nationalstaates geben? Die politischen Ziele ergeben sich dann aus dem Regelungsbedarf, der vor der eigenen Tür entsteht, nachdem der Europäische Binnenmarkt mit der gemeinsamen Geldpolitik vollendet worden ist.

Frage: Sie fordern in Ihrem neuen Buch »Die postnationale Konstellation«, Politiker sollten endlich über ihren Schatten springen, um den Sozialstaat auf supranationaler Ebene zu rekonstruieren. Wäre dieses Engagement für Sie dann die Meßlatte, mit der Gerhard Schröders politischer Erfolg zu bemessen wäre?

J. H.: Genau das ist meine Perspektive. Sie zielt zwar über Europa hinaus auf eine Weltinnenpolitik ohne Weltregierung. Aber zunächst geht es um die Entscheidung, ob wir überhaupt ein politisch handlungsfähiges Europa aufbauen wollen. Hinter Waigels Slogan »Der Euro spricht deutsch« verbirgt sich doch nur der Schwur auf eine unpolitische Einrichtung, die Europäische Zentralbank. Gerhard Schröder weiß, dass sich mit der Einführung des Euro das Problem der Steuerharmonisierung verschärft. Er hat das nach der Wahl am Beispiel der Benzinpreise erläutert. Mir scheint, dass man überhaupt auf eine innereuropäische Abstimmung der Sozial- und Wirtschaftspolitik hinarbeiten muss, wenn es nicht zu einem Deregulierungswettlauf zwischen den sozialpolitischen Regimen der Mitgliedstaaten kommen soll. Andererseits haben neokorporatistische Verfahren ihre Grenzen. Umverteilungswirksame Politiken können nicht einfach in Brüssel verabredet werden, sie müssen demokratisch legitimiert werden. Brauchen wir also, wenn wir eine weitere Zunahme sozialer Ungleichheiten, wenn wir die Entstehung und Segmentierung einer Armutsbevölkerung vermeiden wollen, einen handlungsfähigen europäischen Bundesstaat? Diese Frage hat es in sich. Wir sehen jetzt schon eine Umkehr der Allianzen. Die mit dem Euro zufrieden gestellten Markteuropäer verbünden sich mit den bisherigen Euroskeptikern und versteifen sich auf den Status quo eines Europa, das allein über die Herstellung von Märkten geeinigt worden ist.

Frage: Angesichts der Tatsache, dass es kaum supranationale Einrichtungen gibt, die greifen: Wäre es nicht sinnvoller, erst einmal nationale Möglichkeiten zu nutzen anstatt den Nationalstaat zu verabschieden?

J. H.: Der Nationalstaat ist nach wie vor und auf längere Zeit der wichtigste politische Akteur. Er ließe sich auch gar nicht so schnell verabschieden. Ich halte es übrigens für gut, dass wir jetzt eine Regierung haben, der man zutrauen kann, zunächst im nationalen Rahmen alles zu versuchen, was den Namen einer Reform verdient. Ich zweifle nicht daran, dass die »Mühen der Ebene«, die Schröder jetzt nach klugen Reformvorschlägen und bekannten Rezepten auf sich nehmen will, gewisse Erfolge haben könnten. Aber an den neuen Abhängigkeiten des Staates von den gründlich veränderten weltwirtschaftlichen Bedingungen ändert das nichts. Die Frage ist, ob die postnationale Konstellation nicht auch andere, handlungsfähigere politische Akteure braucht.

Frage: Ist die Gesellschaft nicht klüger und problembewusster, als wir glauben? Selbst die Chefdenker der Deutschen Bank wollen den Kapitalismus zähmen.

J. H.: Ich weiß nicht, was die Chefdenker denken; ich beobachte nur, was die Manager aus Wirtschaft, Politik und Wissenschaft tun, wenn sie beispielsweise das jetzt zur Verabschiedung anstehende multilaterale Abkommen über Investitionen aushandeln.

Soweit ich sehe, geht es dabei eher um die Institutionalisierung von Märkten als um die »Zähmung des Kapitalismus«. Es geht um die Rechtssicherheit von Investitionen, also um ein international wirksames Äquivalent für das, was das bürgerliche Privatrecht im nationalen Rahmen leistet. Neue Märkte zu schaffen und zu institutionalisieren ist aber allemal einfacher, als sie zu korrigieren. Schwierige Probleme erfordern eine supranationale Abstimmung von umwelt-, sozial- und wirtschaftspolitischen Maßnahmen.

Frage: Bei den politischen Akteuren hat die Kraft gerade mal bis zum Euro gereicht. Warum machen Sie sich Hoffnung, dass ein europäisches Projekt der wirtschaftlichen Entwicklung einfach nachwächst?

J. H.: Ja, selbst Kohl setzte seit der Konferenz von Cardiff nur noch auf ein Europa der Vaterländer. Das historische Motiv der Nachkriegsgenerationen, die Überwindung eines mörderischen Nationalismus und die Aussöhnung mit Frankreich, hat sich irgendwie erschöpft. Aber Delors' Kampf für eine »soziale Dimension« speist sich aus anderen, näher liegenden Motiven. Deshalb wird in Zukunft Joschka Fischer der solidere Europäer sein. Ich kenne ihn lange und gut genug – der europapolitische Stabwechsel von Kohl zu Fischer ist ein Glücksfall. Die Stimmung der Bevölkerung ist freilich in vielen europäischen Staaten eher ablehnend gegenüber dem fernen Brüssel. Das ist nicht nur in Deutschland so: Die Nationen haben mit sich selbst genug zu tun. Und die politischen Eliten hören nicht hin, wenn nicht wenigstens die Intellektuellen ein paar öffentliche Diskurse anzetteln. Das tun sie nicht, bei uns noch weniger als in Frankreich oder England – Ihre Skepsis ist leider berechtigt.

Frage: Angenommen, eine politische Union käme zustande. Wer soll sie kontrollieren? Wollen Sie sich dann mit einer abgerüsteten Demokratie bescheiden – ohne eine kritische Öffentlichkeit?

J. H.: Nein, ich bin für einen europäischen Bundesstaat, und das heißt für eine europäische Verfassung. Allerdings können solche Institutionen, die zunächst nur auf dem Reißbrett stehen, diejenigen Prozesse bestenfalls anstoßen, ohne die sie selbst ohne Unterbau bleiben müssten. Eine gemeinsame politische Kultur kann man nicht aus dem Boden stampfen; sie sprießt auch nicht aus ökonomischen Zusammenhängen von selbst hervor. Aber eine Verfassung und ein europäisches Parteiensystem kann man wollen. Vereine, Initiativen und Bürgerbewegungen, die über nationale Grenzen hinweggreifen, eine europaweite Bürgergesellschaft könnten sich dann entwickeln, wenn die Bildung einer europäischen Öffentlichkeit gelänge. Das ist der wunde Punkt. Aber dieses Projekt muss keineswegs, wie das Bundesverfassungsgericht in seinem Maastricht-Urteil meinte feststellen zu sollen, an der Vielfalt der Sprachen scheitern. In den skandinavischen Ländern oder in den Niederlanden sorgt doch das Schulsystem schon für die Zweisprachigkeit der Bevölkerung. Warum muss das Englische – als gemeinsame zweite Erstsprache – am Narzissmus der großen Nationen scheitern?

Frage: Sie machen sich schon wieder Illusionen über die Mediengesellschaft.

J. H.: Tja, die Mediengesellschaft! Die Entsublimierung des Hehren – ein Flop ist ein Flop – hat ja auch etwas egalitär Erfrischendes. Aber wenn sich alles in eine Harald-Schmidt-Show verwandelt, wenn alle zu Moderatoren werden und Moderatoren nur noch mit Moderatoren sprechen, dann nimmt die Welt Luhmann'sche Züge an. Ich glaube nicht, dass ich mir Illusionen mache über den Zustand einer Öffentlichkeit, in der kommerzialisierte Massenmedien den Takt angeben. Viele versuchen sich daran, diese virtuelle Realität auf den Begriff zu bringen. In »Faktizität und Geltung« habe ich aber die Sache aus einer ganz anderen Perspektive betrachtet...

Frage: ... aus der Sicht des demokratischen Souveräns.

J. H.: Ja. Denn unsere Verfassung bringt immer noch die Idee der Selbstbestimmung eines demokratischen Gemeinwesens zum Ausdruck. Der bloße Satz, dass alle Staatsgewalt vom Volke ausgeht, besagt für die tatsächlichen Verhältnisse nicht viel, aber mehr als nichts. Auch die Bürger würden beispielsweise nicht zur Wahl gehen, wenn sie nicht intuitiv daran festhielten, dass die etablierten Verfahren doch noch etwas mit der klassischen Vorstellung von demokratischer Selbstbestimmung zu tun haben. Deshalb drängt sich die Frage auf, ob sich dieser Idee eine Lesart geben lässt, die sie davor bewahrt, zynisch entleert zu werden oder an den Realitäten hochkomplexer Gesellschaften schon auf den ersten Blick abzuprallen. In dem normativen Bild, das ich vorschlage, spielt die Kommunikation über Massenmedien eine wichtige Rolle. Das zerstreute, fast nur noch elektronisch vernetzte Publikum kann sich auch in flüchtigen Momenten des Alltags, mit geringer Aufmerksamkeit, im kleinen oder privaten Kreise über alle möglichen Themen und Beiträge von den Massenmedien unterrichten lassen. Dann können die Leute zustimmend oder ablehnend Stellung nehmen, und implizit tun sie das ja auch fortlaufend. Auf diese Weise beteiligen sie sich nicht so sehr an der Artikulation, aber an der Gewichtung konkurrierender öffentlicher Meinungen. Weil die öffentliche Kommunikation zwischen der informellen Meinungsbildung und den institutionalisierten Verfahren der Willensbildung, zum Beispiel einer allgemeinen Wahl oder einer Kabinettssitzung, wie ein Scharnier funktioniert, ist der Zustand, sagen wir: die diskursive Verfassung der Öffentlichkeit wichtig.

Frage: Diskursiv ist ja nicht einmal mehr das öffentlich-rechtliche Fernsehen.

J. H.: Es stimmt, die politische Öffentlichkeit ist Teil einer weiteren kulturellen Öffentlichkeit, und beide sind heute an die verschmutzten Kanäle des Privatfernsehens angeschlossen. In einem run to the bottom konkurriert auch noch das öffentlich-rechtliche Fernsehen mit den heruntergekommensten Programminhalten und Präsentationsformen des Kommerzfernsehens. Die öffentlich-rechtliche Organisationsform, die gewiss auch ihre Probleme hat, war immerhin von dem richtigen Gedanken inspiriert, dass sich nicht alle gesellschaftlichen Funktionsbereiche schadlos auf den Markt umpolen lassen. Kultur, Information, Kritik sind auf eine eigene, eigensinnige Form der Kommunikation angewiesen. Jedenfalls sollten die Imperative der Einschaltquoten nicht in die Poren der kulturellen Kommunikation selbst eindringen. Wem sage ich das?

Frage: Damit stellt sich die Frage nach der Zukunft der Parteiendemokratie, die auf intakte Öffentlichkeiten angewiesen ist. Erleben wir nicht in diesen Jahren das langsame Ende der Parteiendemokratie? Die Parteien sind in immer geringerem Maße ein Ort für die Austragung und Politisierung der Politik. Gleichzeitig lösen sich die Sozialmilieus auf, die für Verbindungen zu den Parteimilieus gesorgt haben.

J. H.: Die Politologen haben die Trends gut beschrieben. Sie sind, wenn man an Lazarsfelds Radioforschung aus den frühen vierziger Jahren denkt, keineswegs alle neu. Aber die mediengesteuerte Personalisierung, der unmittelbare Kontakt der führenden Politiker mit dem zuschauenden Publikum, verschärft das plebiszitäre Element erheblich und mindert das Gewicht der Parteiorganisationen. Die nach außen gerichteten Public Relations würden selbst dann die Binnenkommunikation in den Mitgliederorganisationen überschatten, wenn die politische Überzeugungsarbeit der Parteien nicht zum Marketing verdampfte. Auf der anderen Seite muss man sich die jüngeren Generationen ansehen. Die breite Bevölkerung ist heute intelligenter, jedenfalls besser ausgebildet, besser informiert, in vielen Hinsichten sogar interessierter als früher. Wenn sich die Formen der politischen Beteiligung ändern, muss das nicht schon per se ein Schaden sein. Wenn sich die politischen Parteien immer weiter verstaatlichen und ihre Arbeit gleichzeitig immer stärker vermarkten, können in der Zivilgesellschaft Gegenbewegungen einsetzen. Die Grünen haben noch einmal den klassischen Weg von der sozialen Bewegung zur Partei zurückgelegt. Das muss nicht so bleiben. Andere Initiativen verharren im Stadium der Gegenorganisation und erobern sich manchmal, wie Greenpeace, weltweiten Einfluss.

Frage: Unterstellt, die Parteiendemokratie löst sich auf, dann kämen alte und neue Öffentlichkeit unter Zugzwang. Es käme Bewegung auf. Um die Chance, die darin steckt, nutzen zu können, müssten aber die medialen Spielregeln neu definiert werden, wobei die USA mit ihrer Art Mediendemokratie schlecht als leuchtendes Beispiel dienen können. Wie könnte die Neudefinition der Medienspielregeln aussehen?

J. H.: Das ist eine gute Frage, auf die ich keine Antwort weiß. Ich habe darüber nicht ausreichend nachgedacht. Allerdings sind wir in Europa von einem Ende der Parteiendemokratie weit entfernt.

Die Parteien wählen ja nach wie vor das Personal aus und schulen es. Der Professionalisierungsgrad unserer Politiker ist gar nicht so schlecht. Quereinsteiger muss es geben können, aber Gott behüte uns vor schillernden Figuren wie Berlusconi oder Ross Perot, die sozusagen aus dem Nichts aufsteigen.

Frage: Man kann sich schnell darauf einigen, dass es in der strukturkonservativen Bundesrepublik Mentalitäts- und Selbstblockaden gibt. Hängt die Republik zu sehr an ihrer eigenen Vergangenheit, an den Spielregeln des sozialen Ausgleichs? Welchen Ballast muss sie abschütteln?

J. H.: Es mag ja sein, dass die Mentalität nach den Umbrüchen, die die deutsche Gesellschaft in diesem Jahrhundert erfahren hat, ein bisschen zu konservativ ist. Aber den angeblichen sozialstaatlichen Ballast, gegen den die Neoliberalen wettern, betrachte ich doch mit Zurückhaltung. Mehr Flexibilität heißt im Klartext: dass die Ware Arbeitskraft ihre eigentümlichen personalen Qualitäten abstreifen und zur ganz normalen Ware werden soll. Haben wir nicht alle von Marx gelernt, das eine mit dem anderen nicht zu verwechseln? Mentale Hemmungen gibt es natürlich. Vielen fällt es im Augenblick der nationalen Einigung schwer zu begreifen, dass dem Nationalstaat die Stunde geschlagen hat. Andere verdrängen das Thema vom Ende der Vollbeschäftigungsgesellschaft und die Frage der Umverteilung des geschrumpften Volumens an Erwerbsarbeit. Nachdem sich der Kapitalismus als Form der Produktion von gesellschaftlichem Reichtum weltweit durchgesetzt hat, kehren alte Fragen der Verteilungsgerechtigkeit wieder – Fragen, die den Mechanismus einer Verteilung über Erwerbsarbeit betreffen.

Frage: Teilen Sie Richard Sennetts Sorge, dass es am Ende des Jahrhunderts eine neue Variante der Anpassung an den Kapitalismus gibt? Wird der flexible Mensch zur neuen Leitfigur?

J. H.: Sennett beschreibt einleuchtend die Individualisierung gesellschaftlicher Lasten. Sein »flexibler Mensch« ist der Typus von Person, auf dessen Schultern die Gesellschaft solche Probleme abwälzt, die sie selbst lösen müsste, aber nicht bewältigt.

Frage: Es gibt Versuche, Demokratie von Gerechtigkeit zu entkoppeln und nur noch Freiheitsrechte zu betonen, nicht mehr soziale Rechte. Für Ralf Dahrendorf zum Beispiel scheint nur noch »Inklusion« wichtig, nicht aber die Verteilungsgerechtigkeit. Dann gibt es noch Zyniker, die sehen die Aufgabe des Staates allein darin, den Menschen ein »marktbereites« Leben zu ermöglichen. Was halten Sie von diesem neuen Realismus?

J. H.: Ich weiß nicht, ob Dahrendorf unter »Inklusion« nicht eher eine gleichberechtigte Einbeziehung versteht. Sie haben Recht: Heute grassiert eine normative Gehirnwäsche, die an die universalistischen Grundlagen des seit 200 Jahren herrschenden egalitären Selbstverständnisses der Moderne rührt. In Deutschland kommt das wohl eher von konservativer als von liberaler Seite. Bei uns war die Tradition eines anthropologischen Pessimismus immer schon stark. Der lässt seinen historisch ausholenden Blick über die hierarchischen Gesellschaften und fatalistischen Mentalitäten der Alten Reiche schweifen und belehrt uns über die Gleichheitsillusionen einer kurzen, die Natur des Menschen missverstehenden Epoche. Das fügt sich trefflich zusammen mit der Skepsis gegenüber allen Versuchen einer Rereregulierung davonlaufender Märkte. Wenn man das Weltbild der neoliberalen Leistungsträger konsequent zu Ende denkt, versteht man, warum sich für den hochmobilen, in die Netzwerke normfrei entlassenen, nur noch von eigenen Präferenzen geleiteten Einzelnen ein Fatalismus gegenüber dem Zustand des Ganzen nahe legt. Es könnte das säkularisierte Gegenstück zum religiös begründeten Fatalismus der alten Hochkulturen sein.

Frage: Dennoch beweist das Lob des Selbstunternehmers doch Wirklichkeitssinn. Die »Generation Berlin« steht tragisch auf freiem Feld und ist nur noch mit sich selbst solidarisch. Vielleicht hat sie ja ein Gespür dafür, dass es nach all den Individualisierungsschüben keine bürgerliche Gesellschaft mehr gibt. Politischer Existentialismus scheint attraktiver als demokratischer Experimentalismus.

J. H.: Mein Freund Herbert Marcuse, der ja den Berliner Tonfall nicht einmal im Englischen verleugnete, hätte zu den kursierenden Schnittmustern für eine »Generation Berlin« nur »Kacke mit

Lakritze« gesagt. Eine neue Generation oder eine neue Kultur, die der Hauptstadt ja zu wünschen wäre, kann man schlecht ankündigen. Man ist eine neue Generation, indem man etwas Neues hervorbringt – mit einem Design ist es nicht getan. Es ist ja nicht so, als wüssten wir nicht, was geleistet werden müsste. Es fehlt der Kulturkritik eine neue Sprache, die greift – eine Sprache, in der wir die neuen Phänomene so unnachsichtig aufspießen könnten wie seinerzeit Adorno die der frühen Bundesrepublik. In den »Fehlern des Kopisten« von Botho Strauß spiegelt sich nur noch die entschärfte Bewusstseinslage von Intellektuellen, die sich wieder die Toga von »Geistigen« umwerfen. Sie erwähnen die Affekte, die sich in jenen Selbstdefinitions- und Selbstfindungsversuchen ausdrücken. Das ist interessanter.

Jungkonservative Stimmungslagen sind ja im Laufe der Nachkriegsjahrzehnte wie Blasen hochgestiegen und aufgeplatzt, vorzugsweise in Biotopen wie dem Feuilleton der FAZ. Das Ressentiment unserer großen Rechtsintellektuellen, die sich als die Träger der authentischen deutschen Kontinuitäten betrachteten, aber nach 1945 nicht wieder zu Potte gekommen waren, hat in der politischen Geistesgeschichte der Bundesrepublik unverkennbare Spuren hinterlassen. Jedenfalls ist in diesen Zirkeln das Bewusstsein gepflegt worden, als hätte uns die kulturelle Westorientierung vom Wurzelboden unseres »Eigensten« abgeschnitten. Dieses dann auch nach 1989 virulent werdende Bewusstsein hat sich ein einziges Mal offensiv geäußert, in dem Versuch einer »Neuen Rechten«, der Nation ihr »Selbstbewusstsein« zurückzugeben. Aber der Versuch ist 1995 mit der Debatte über den Sinn, den der 8. Mai 1945 retrospektiv für uns gewinnt, gescheitert. Offenbar suchen sich jetzt ähnlich verquere Bedürfnisse andere, unauffälligere Kanäle. Das kann ich nicht wirklich beurteilen.

Frage: Helmut Kohl erweckte zuletzt den Anschein, als wolle er die Gespenster der »Berliner Republik« ganz schnell wieder vertreiben, die seine eifrigen Politikplaner gerufen hatten. Berlin bleibt Bonn. War das Angst vor der eigenen Courage?

J. H.: Seien Sie doch froh, dass auch Schröder nach der Wahl die Kontinuität Bonn-Berlin betont hat.

Frage: So klar ist das ja nicht. Die Fronten haben sich nahezu verkehrt. Die SPD entdeckt die Kultur und schwärmt von der Maßstab setzenden Hauptstadt, die sich am imitierten Stadtschloss wärmt, dafür aber auf den Bau des Holocaust-Mahnmals verzichtet. Warum macht das Aschenputtel Kultur plötzlich Karriere?

J. H.: Es ist schwer zu sagen, wozu der PR-Gag von Schröder gut sein wird. Vielleicht schadet er ja nicht. Bei knapper Haushaltslage sind medienwirksame, aber kostenlose Politiken beliebt. Blair hat die Verfassungsreform entdeckt, Schröder die Kultur, fürchte ich. Aber auf diesem Pflaster kann man leicht ausrutschen, wie Ihre Beispiele zeigen. Und um Kosten geht es auch. Will man das Schicksal der reichen kulturellen Infrastruktur eines zivilisierten Landes wirklich Sponsoren überlassen? Der zweite Blick auf das Beispiel USA ist ziemlich ernüchternd. Und was die Repräsentanz der deutschen, historisch gesehen doch stark regionalisierten Kultur nach außen angeht: Die Goethe-Institute machen ihren Job ganz gut.

Frage: Es gibt immer wieder Kritik an der kulturellen Öffnung der Republik. Es gibt die Befürchtung, dass zum Beispiel in der Philosophie kontinentale und deutsche Traditionen ins Hintertreffen geraten gegenüber angelsächsischen Themen und Sichtweisen. Können Sie die Sorge verstehen?

J. H.: Für die Nachkriegsphilosophie in Deutschland haben die engen, über die Emigration angebahnten Verbindungen mit der angelsächsischen Philosophie zu einer Öffnung und einer enormen Bereicherung geführt. Wie die Schrittmacherrolle meines Freundes Karl-Otto Apel zeigt, hat die energische Aneignung der analytischen Philosophie und des amerikanischen Pragmatismus einen Schub ausgelöst, ohne der Substanz der deutschen Tradition zu schaden. Der Austausch geht sogar in beide Richtungen. Richard Rortys Schüler Bob Brandom ist gerade dabei, den Tresor Hegel mit analytischen Instrumenten zu knacken. Und Rorty selbst ist gewiss ein brillanter analytischer Philosoph. Seine Weltgeltung verdankt er aber einem synthetischen Stil des Durchgriffs auf Motive und Zusammenhänge, den er dem Hegelschen Hintergrund des Pragmatismus verdankt.

Frage: Welche Traditionen der Bundesrepublik sind denn für Sie unverzichtbar – wenn Sie denn schon die Wendung von der »Berliner Republik« übernehmen möchten?

J. H.: Ich glaube, wir alle möchten in einem zivilen Land leben, das sich kosmopolitisch öffnet und behutsam-kooperativ in den Kreis der anderen Nationen einfügt. Wir alle möchten unter Landsleuten leben, die daran gewöhnt sind, die Eigenart des Fremden, die Autonomie des Einzelnen und die Vielfalt zu respektieren – die regionale, die ethnische und die religiöse Vielfalt. Auch der neuen Republik stünde es gut zu Gesicht, sich der Rolle Deutschlands in der Katastrophengeschichte des 20. Jahrhunderts zu erinnern, aber ebenso die wenigen Augenblicke der Emanzipation und die Leistungen im Gedächtnis zu behalten, auf die wir stolz sein können. Ganz unoriginell wünschte ich mir eine Geistesart, die gegen die Rhetorik des Hohen und des Tiefen misstrauisch wäre, eine Ästhetisierung des Politischen ablehnte, aber auf Grenzen der Trivialisierung achtete, sobald es um die Integrität und den Eigensinn intellektueller Erzeugnisse geht.

II.
Interventionen

In der dritten Woche nach Beginn der umstrittenen NATO-Aktion habe ich zum Kosovo-Konflikt (in DIE ZEIT vom 29. April 1999) Stellung genommen. Die von Anbeginn problematischen Aspekte des Unternehmens – neben der hauchdünnen völkerrechtlichen Legitimation die Unverhältnismäßigkeit der Mittel und die Unklarheit der politischen Zielsetzung – sind durch den weiteren Verlauf und die nachträglich bekannt gewordenen Fakten noch schärfer beleuchtet worden. Trotzdem halte ich an der Kantischen Perspektive eines Übergangs vom Völkerrecht zum Weltbürgerrecht, aus der ich die Intervention seinerzeit im Grundsatz gerechtfertigt habe, auch heute fest.

Der in der SÜDDEUTSCHEN ZEITUNG vom 18./19. März 2000 erschienene Rückblick auf den Spendenskandal der CDU zeigt, wie in der Mitte der Gesellschaft das Normbewusstsein brüchig wird.

Vor dem Beschluss des Bundestages über die Errichtung des Berliner Denkmals für die ermordeten Juden Europas habe ich mich (in DIE ZEIT vom 31. März 1999) noch einmal um eine Interpretation des ungewöhnlichen Vorhabens bemüht.

2. Von der Machtpolitik zur Weltbürgergesellschaft

Mit dem ersten Kampfeinsatz der Bundeswehr ging die lange Periode einer Zurückhaltung zu Ende, die sich den zivilen Zügen der deutschen Nachkriegsmentalität eingeprägt hat. Es ist Krieg. Gewiss, die »Luftschläge« der Allianz wollen etwas anderes sein als ein Krieg der traditionellen Art. Tatsächlich haben die »chirurgische Präzision« der Luftangriffe und die programmatische Schonung der Zivilisten einen hohen legitimatorischen Stellenwert. Das bedeutet die Abkehr von einer totalen Kriegsführung, die die Physiognomie des zu Ende gehenden Jahrhunderts bestimmt hat. Aber auch wir Halbbeteiligte, denen das Fernsehen den Kosovokonflikt allabendlich serviert, wissen, dass die jugoslawische Bevölkerung, die sich unter den Luftangriffen duckt, nichts anderes als Krieg erfährt.

Glücklicherweise fehlen in der deutschen Öffentlichkeit die dumpfen Töne. Keine Schicksalssehnsucht, kein intellektueller Trommelwirbel für den guten Kameraden. Während des Golfkrieges ist noch die Rhetorik des Ernstfalls, die Beschwörung von staatlichem Pathos, von Würde, Tragik und männlicher Reife gegen eine lautstarke Friedensbewegung aufgefahren worden. Von beidem ist nicht viel übrig geblieben. Hie und da noch ein bischen Häme über den kleinlaut gewordenen Pazifismus oder die Härteparole »Wir steigen von den Höhen der Moral herab«. Aber nicht einmal dieser Tenor verfängt, denn Befürworter wie Gegner des Einsatzes bedienen sich einer glasklaren *normativen* Sprache.

Die pazifistischen Gegner rufen den moralischen Unterschied zwischen Tun und Lassen in Erinnerung und lenken den Blick auf das Leiden der zivilen Opfer, die eine noch so zielgenaue militärische Gewaltanwendung »in Kauf nehmen« muss. Der Appell richtet sich jedoch dieses Mal nicht an das gute Gewissen hartgesottener Realisten, die die Staatsräson hochhalten. Er richtet sich gegen den »legal pacifism« einer rotgrünen Regierung. An der Seite der alten Demokratien, die von vernunftrechtlichen Traditionen stärker als wir geformt worden sind, berufen sich die Minister Fischer und Scharping auf die Idee einer *menschenrecht-*

lichen Domestizierung des Naturzustandes zwischen den Staaten. Damit steht die Transformation des Völkerrechts in ein Recht der Weltbürger auf der Agenda.

Der Rechtspazifismus will den lauernden Kriegszustand zwischen souveränen Staaten nicht nur völkerrechtlich einhegen, sondern in einer durchgehend verrechtlichten kosmopolitischen Ordnung aufheben. Von Kant bis Kelsen gab es diese Tradition auch bei uns. Aber heute wird sie von einer deutschen Regierung zum ersten Mal ernst genommen. Die unmittelbare Mitgliedschaft in einer Assoziation von Weltbürgern würde den Staatsbürger auch gegen die Willkür der eigenen Regierung schützen. Die wichtigste Konsequenz eines durch die Souveränität der Staaten hindurchgreifenden Rechts ist, wie sich im Falle Pinochets schon andeutet, die persönliche Haftung von Funktionären für ihre in Staats- und Kriegsdiensten begangenen Verbrechen.

In der Bundesrepublik beherrschen die Gesinnungspazifisten auf der einen, die Rechtspazifisten auf der anderen Seite die öffentliche Auseinandersetzung. Sogar die »Realisten« schlüpfen unter den Mantel der normativen Rhetorik. Die Stellungnahmen pro und con bündeln ja gegensätzliche Motive. Die machtpolitisch Denkenden, die der normativen Zügelung der souveränen Staatsgewalt grundsätzlich misstrauen, finden sich Arm in Arm mit Pazifisten wieder, während die »Atlantiker« aus schierer Bündnistreue ihren Argwohn gegen den regierungsamtlichen Menschenrechtsenthusiasmus unterdrücken – gegen Leute, die vor kurzem noch gegen die Stationierung der Pershing II auf die Straße gegangen sind. Dregger und Bahr stehen neben Stroebele, Schäuble und Rühe neben Eppler. Kurzum, die Linke an der Regierung und der Vorrang normativer Argumente, beides erklärt nicht nur die eigentümliche Schlachtordnung, sondern den beruhigenden Umstand, dass öffentliche Diskussion und Stimmung in Deutschland nicht anders sind als in anderen westeuropäischen Ländern. Kein Sonderweg, kein Sonderbewusstsein. Eher schon zeichnen sich Bruchlinien ab zwischen Kontinentaleuropäern und Angelsachsen, jedenfalls zwischen denen, die den Generalsekretär der UNO zu ihrer Beratung einladen und eine Verständigung mit Russland suchen, und jenen, die hauptsächlich den eigenen Waffen vertrauen.

Krieg gegen ethnische Säuberung

Natürlich gehen die USA und die Mitgliedstaaten der Europäischen Union, die die politische Verantwortung tragen, von einer gemeinsamen Position aus. Nach dem Scheitern der Verhandlungen von Rambouillet führen sie die angedrohte militärische Strafaktion gegen Jugoslawien mit dem erklärten Ziel durch, liberale Regelungen für die Autonomie des Kosovo innerhalb Serbiens durchzusetzen. Im Rahmen des klassischen Völkerrechts hätte das als Einmischung in die inneren Angelegenheiten eines souveränen Staates, d. h. als Verletzung des Interventionsverbots gegolten. Unter Prämissen der Menschenrechtspolitik soll dieser Eingriff nun als eine bewaffnete, aber von der Völkergemeinschaft (auch ohne UNO-Mandat stillschweigend) autorisierte Frieden schaffende Mission verstanden werden. Nach dieser westlichen Interpretation könnte der Kosovokrieg einen Sprung auf dem Wege des klassischen Völkerrechts der Staaten zum kosmopolitischen Recht einer Weltbürgergesellschaft bedeuten.

Diese Entwicklung hatte mit Gründung der UNO eingesetzt und war, nach der Stagnation während des Ost-West-Konflikts, durch den Golfkrieg sowie durch andere Interventionen beschleunigt worden. Humanitäre Interventionen sind freilich seit 1945 nur im Namen der UNO und mit förmlicher Zustimmung der betroffenen Regierung (soweit eine funktionierende Staatsgewalt vorhanden war) zustande gekommen. Während des Golfkriegs hat der Sicherheitsrat mit der Einrichtung von Flugverbotszonen über dem irakischen Luftraum und von »Schutzzonen« für kurdische Flüchtlinge im Nordirak zwar faktisch in »innere Angelegenheiten« eines souveränen Staates eingegriffen. Das ist aber nicht explizit mit dem Schutz einer verfolgten Minderheit vor der eigenen Regierung begründet worden. In der Resolution 688 vom April 1991 haben sich die Vereinten Nationen auf das Interventionsrecht berufen, das ihnen in Fällen der »Bedrohung der internationalen Sicherheit« zusteht. Anders verhält es sich heute. Das nordatlantische Militärbündnis handelt ohne ein Mandat des Sicherheitsrats, rechtfertigt aber die Intervention als Nothilfe für eine verfolgte ethnische (und religiöse) Minderheit.

Von Mord, Terror und Vertreibung waren im Kosovo schon in den Monaten vor dem Beginn der Luftangriffe etwa dreihunderttausend Personen betroffen. Inzwischen liefern die erschütternden Bilder von den Vertriebenentrecks auf den Routen nach Mazedonien, Montenegro und Albanien die unmissverständliche Evidenzen für eine von längerer Hand geplante ethnische Säuberung. Dass die Flüchtenden auch wieder als Geiseln zurückgehalten werden, macht die Sache nicht besser. Obwohl Milosevic den Luftkrieg der Nato benutzt, um seine elende Praxis bis zum bitteren Ende zu forcieren, können die niederdrückenden Szenen aus den Flüchtlingslagern den kausalen Zusammenhang nicht verkehren. Es war schließlich das Ziel der Verhandlungen, einen mörderischen Ethnonationalismus zu stoppen. Ob die Grundsätze der Völkermordkonvention von 1948 auf das, was jetzt unter der Kuppel des Luftkrieges am Boden geschieht, Anwendung finden, ist kontrovers. Aber einschlägig sind die Tatbestände, die als »Verbrechen gegen die Menschlichkeit« aus den Leitsätzen der Kriegsverbrechertribunale von Nürnberg und Tokio ins Völkerrecht eingegangen sind. Seit kurzem behandelt der Sicherheitsrat auch diese Tatbestände als »Friedensbedrohungen«, die unter Umständen Zwangsmaßnahmen rechtfertigen. Aber ohne Mandat des Sicherheitsrats können die Interventionsmächte in diesem Fall nur aus den »erga omnes« verpflichtenden Grundsätzen des Völkerrechts eine Ermächtigung zur Hilfeleistung ableiten.

Wie dem auch sei, der Anspruch der Kosovaren auf gleichberechtigte Koexistenz und die Empörung über das Unrecht der brutalen Vertreibung haben der militärischen Intervention im Westen eine breite, wenn auch differenzierte Zustimmung gesichert. Der außenpolitische Sprecher der CDU, Karl Lamers, hat die Ambivalenz, die diese Zustimmung von Anbeginn begleitete, schön zum Ausdruck gebracht: »Also könnte unser Gewissen ruhig sein. Das sagt uns unser Verstand, aber unser Herz will nicht recht darauf hören. Wir sind unsicher und unruhig...«

Nagende Zweifel

Es gibt mehrere Quellen der Beunruhigung. Im Laufe der letzten Wochen verstärken sich die Zweifel an der *Klugheit* einer Verhandlungsstrategie, die keine andere Alternative als den bewaffneten Angriff zuließ. Denn Zweifel bestehen an der *Zweckmäßigkeit* der Militärschläge. Während in der jugoslawischen Bevölkerung bis tief in die Reihen der Opposition hinein die Zustimmung zum trotzig-halsstarrigen Kurs von Milosevic wächst, kumulieren sich ringsum die bedrohlichen Nebenfolgen des Krieges. Die angrenzenden Staaten Mazedonien und Albanien sowie die Teilrepublik Montenegro geraten aus verschiedenen Gründen in den Strudel der Destabilisierung; im atomar hoch gerüsteten Russland setzt die Solidarität breiter Kreise mit dem »Brudervolk« die Regierung unter Druck. Vor allem wachsen die Zweifel an der *Verhältnismäßigkeit* der militärischen Mittel. Hinter jedem »Kollateralschaden«, jedem Eisenbahnzug, der unbeabsichtigt mit einer zerbombten Donaubrücke in die Tiefe gerissen wird, hinter jedem Traktor mit flüchtenden Albanern, jedem serbischen Wohngebiet, jedem zivilen Ziel, das ungewollt dem Raketenbeschuss zum Opfer fällt, kommt nicht irgendeine Kontingenz des Krieges zum Vorschein, sondern ein Leiden, das »unsere« Intervention auf dem Gewissen hat.

Fragen der Verhältnismäßigkeit sind schwierig zu entscheiden. Hätte die Nato die Zerstörung des staatlichen Rundfunks nicht eine halbe Stunde vorher ankündigen sollen? Auch die beabsichtigten Zerstörungen – die brennende Tabakfabrik, das lodernde Gaswerk, die zerbombten Hochhäuser, Straßen und Brücken, die Ruinierung der wirtschaftlichen Infrastruktur eines durchs UNO-Embargo ohnehin geschädigten Landes – steigern die Unruhe. Jedes Kind, das auf der Flucht stirbt, zerrt an unseren Nerven. Denn trotz des überschaubaren kausalen Zusammenhangs verheddern sich jetzt die Fäden der Verantwortung. Im Elend der Vertreibung bilden die Folgen der rücksichtslosen Politik eines Staatsterroristen mit den Nebenfolgen der Militärschläge, die ihm, statt das blutige Handwerk zu legen, auch noch einen Vorwand lieferten, ein schwer entwirrbares Knäuel.

Schließlich die Zweifel am *diffus* gewordenen politischen Ziel. Gewiss, die fünf Forderungen an Milosevic gehorchen denselben makellosen Prinzipen, nach denen das Dayton-Abkommen für ein liberal verfasstes multiethnisches Bosnien konstruiert worden ist. Die Kosovo-Albaner hätten kein Recht auf Sezession, wenn nur ihr Anspruch auf Autonomie innerhalb Serbiens erfüllt würde. Der großalbanische Nationalismus, der durch eine Abspaltung Auftrieb erhielte, ist ja kein Deut besser als der großserbische, den die Intervention eindämmen soll. Inzwischen machen die Wunden der ethnischen Säuberung mit jedem weiteren Tag die Revision des Zieles einer gleichberechtigten Koexistenz der

Volksgruppen unausweichlicher. Aber eine Teilung des Kosovo wäre erst recht eine Sezession, die niemand wollen kann. Zudem würde die Einrichtung eines Protektorats eine Veränderung der Strategie erfordern, nämlich einen Bodenkrieg und die jahrzehntelange Präsenz von Frieden sichernden Streitkräften. Wenn diese unvorhergesehenen Konsequenzen eintreten sollten, würde sich retrospektiv die Frage nach der Legitimation des Unternehmens noch einmal ganz anders stellen.

In den Verlautbarungen unserer Regierung ist ein gewisser schriller Ton, ein overkill an fragwürdigen geschichtlichen Parallelen – so als müssten Fischer und Scharping mit ihrer hämmernden Rhetorik eine *andere* Stimme in sich selbst übertönen. Ist es die Furcht, dass das politische Scheitern des militärischen Einsatzes die Intervention in ein ganz anderes Licht rücken, gar das Projekt der durchgreifenden Verrechtlichung zwischenstaatlicher Beziehungen auf Jahrzehnte zurückwerfen könnte? Würde dann nicht von dem »Polizeieinsatz«, den die Nato hochherzig für die Völkergemeinschaft unternimmt, ein ordinärer Krieg übrig bleiben, sogar ein schmutziger Krieg, der den Balkan nur noch in größere Katastrophen gestürzt hat? Und wäre das nicht Wasser auf die Mühlen eines Carl Schmitt, der es immer schon besser wusste: »Wer Menschheit sagt, will betrügen«? Er hat seinen Antihumanismus auf die berühmte Formel gebracht: »Humanität, Bestialität«. Der bohrende Zweifel, ob am Ende der Rechtspazifismus selbst das falsche Projekt ist, ist unter den Quellen der Beunruhigung die tiefste.

Die Widersprüche der Realpolitik ...

Der Krieg im Kosovo berührt eine grundsätzliche, auch in Politikwissenschaft und Philosophie umstrittene Frage. Der demokratische Verfassungsstaat hat die große zivilisatorische Leistung einer rechtlichen Zähmung der politischen Gewalt *auf der Grundlage* der Souveränität völkerrechtlich anerkannter Subjekte erreicht, während ein »weltbürgerlicher« Zustand diese Unabhängigkeit des Nationalstaats zur Disposition stellt. Stößt der Universalismus der Aufklärung hier auf den Eigensinn einer politischen Gewalt, der unauslöschlich der Antrieb zur kollektiven Selbstbehauptung eines partikularen Gemeinwesens eingeschrieben ist? Das ist der realistische Stachel im Fleisch der Menschenrechtspolitik.

Auch die realistische Denkschule nimmt natürlich den Strukturwandel jenes mit dem Westfälischen Frieden von 1648 entstandenen Systems unabhängiger Staaten zur Kenntnis – die Interdependenzen einer immer komplexer werdenden Weltgesellschaft; die Größenordnung von Problemen, welche die Staaten nur noch kooperativ lösen können; die wachsende Autorität und Verdichtung der supranationalen Einrichtungen, Regime und Verfahren, nicht nur auf dem Gebiet der kollektiven Sicherheit; die Ökonomisierung der Außenpolitik, die Verwischung der klassischen Grenze zwischen Innen- und Außenpolitik überhaupt. Aber ein pessimistisches Menschenbild und ein eigentümlich opaker Begriff »des« Politischen bilden den Hintergrund für eine Doktrin, die am völkerrechtlichen Prinzip der Nichtintervention mehr oder weniger uneingeschränkt festhalten möchte. In der internationalen Wildbahn sollen sich unabhängige Nationalstaaten nach Maßgabe eigener Interessen möglichst ungehindert nach eigenem Ermessen bewegen können, weil Sicherheit und Überleben des Kollektivs aus der Sicht der Angehörigen nicht-verhandelbare Werte sind und weil, aus der Perspektive eines Beobachters gesehen, die Imperative zweckrationaler Selbstbehauptung die Beziehungen zwischen den kollektiven Aktoren immer noch am besten regeln.

Aus dieser Sicht begeht die interventionistische Menschenrechtspolitik einen Kategorienfehler. Sie unterschätzt und diskriminiert die gewissermaßen »natürliche« Tendenz zur Selbstbehauptung. Sie will normative Maßstäbe einem Gewaltpotential überstülpen, das sich der Normierung entzieht. Carl Schmitt hatte diese Argumentation durch seine eigentümlich stilisierte »Wesensbestimmung« des Politischen noch zugespitzt. Mit dem Versuch der »Moralisierung« einer von Haus aus neutralen Staatsräson, so meinte er, lässt erst die Menschenrechtspolitik selbst den naturwüchsigen Kampf der Nationen zu einem heillosen »Kampf gegen das Böse« entarten.

Dagegen erheben sich triftige Einwände. Es ist ja nicht so, als ob in der postnationalen Konstellation kraftstrotzende Nationalstaaten von Regeln der Völkergemeinschaft gegängelt würden. Vielmehr ist es die Erosion der staatlichen Autorität, sind es Bürgerkriege und ethnische Konflikte innerhalb zerfallender oder autoritär zusammengehaltener Staaten, die Interventionen auf den Plan rufen – nicht nur in Somalia und Ruanda, sondern auch in Bosnien und nun im Kosovo. Ebenso wenig findet der ideologiekritische Verdacht Nahrung. Der vorliegende Fall zeigt, dass universalistische Rechtfertigungen keineswegs *immer* die Partikularität uneingestandener Interessen verschleiern. Was eine Hermeneutik des Verdachts dem Angriff auf Jugoslawien ankreidet, ist ziemlich mager. Für Politiker, denen die globale Ökonomie innenpolitisch wenig Spielraum lässt, mag ja außenpolitische Kraftmeierei eine Chance bieten. Aber weder das den USA zugeschriebene Motiv der Sicherung und Erweiterung von Einflusssphären noch das der Nato zugeschriebene Motiv der Rollenfindung, nicht einmal das der »Festung Europa« zugeschriebene Motiv der vorbeugenden Abwehr von Einwanderungswellen erklären den Entschluss zu einem so schwerwiegenden, riskanten und kostspieligen Eingriff.

Gegen den »Realismus« spricht aber vor allem die Tatsache, dass die Subjekte des Völkerrechts mit den Blutspuren, die sie in der Katastrophengeschichte des 20. Jahrhunderts hinterlassen haben, die Unschuldsvermutung des klassischen Völkerrechts ad absurdum geführt haben. Die Gründung und die Menschenrechtserklärung der UNO sowie die Strafandrohung für Angriffskriege und Verbrechen gegen die Menschlichkeit – mit der Konsequenz einer wenigstens halbherzigen Einschränkung des Prinzips der Nichtintervention –, dies waren notwendige und richtige Antworten auf die moralisch signifikanten Erfahrungen des Jahrhunderts, auf die totalitäre Entfesselung der Politik und auf den Holocaust.

… und das Dilemma der Menschenrechtspolitik

Schließlich beruht der Vorwurf der Moralisierung der Politik auf einer begrifflichen Unklarheit. Denn die angestrebte Etablierung eines weltbürgerlichen Zustandes würde bedeuten, dass Verstöße gegen die Menschenrechte nicht *unmittelbar* unter moralischen Gesichtspunkten beurteilt und bekämpft, sondern wie kriminelle Handlungen innerhalb einer staatlichen Rechtsordnung verfolgt werden. Eine durchgreifende Verrechtlichung internationaler Beziehungen ist nicht ohne etablierte Verfahren der Konfliktlösung möglich. Gerade die Institutionalisierung dieser Verfahren wird den juristisch gezähmten Umgang mit Menschenrechtsverletzungen vor einer moralischen Entdifferenzierung des Rechts schützen und eine *unvermittelt* durchschlagende moralische Diskriminierung von »Feinden« verhindern.

Ein solcher Zustand ist auch ohne das Gewaltmonopol eines Weltstaates und ohne Weltregierung zu erreichen. Aber nötig ist wenigstens ein funktionierender Sicherheitsrat, die bindende Rechtsprechung eines internationalen Strafgerichtshofes und die Ergänzung der Generalversammlung von Regierungsvertretern durch die »zweite Ebene« einer Repräsentation der Weltbürger. Da diese Reform der Vereinten Nationen noch nicht in greifbarer Nähe ist, bleibt der Hinweis auf die Differenz zwischen Verrechtlichung und Moralisierung eine zwar richtige, aber zweischneidige Entgegnung. Denn solange die Menschenrechte auf globaler Ebene vergleichsweise schwach institutionalisiert sind, kann sich die Grenze zwischen Recht und Moral wie im vorliegenden Fall verwischen. Weil der Sicherheitsrat blockiert ist, kann sich die Nato nur auf die moralische Geltung des Völkerrechts berufen – auf Normen, für die keine effektiven, von der Völkergemeinschaft anerkannten Instanzen der Rechtsanwendung und -durchsetzung bestehen.

Die Unterinstitutionalisierung des Weltbürgerrechts äußert sich beispielsweise in der Schere zwischen der Legitimität und der Effektivität der Frieden sichernden und Frieden schaffenden Interventionen. Srebrenicka hatte die UNO zum Schutzhafen erklärt, aber die Truppe, die dort legitimerweise stationiert war, konnte nach dem Einmarsch der Serben das grauenhafte Massaker nicht verhindern. Demgegenüber kann die Nato der jugoslawischen Regierung nur deshalb effektiv entgegentreten, weil sie ohne die Legitimation, die ihr der Sicherheitsrat verweigert hätte, aktiv geworden ist.

Die Menschenrechtspolitik zielt darauf ab, die Schere zwischen diesen spiegelbildlichen Situationen zu schließen. Vielfach ist sie aber angesichts des unterinstitutionalisierten Weltbürgerrechts zum bloßen *Vorgriff* auf einen künftigen kosmopolitischen Zustand, den sie zugleich befördern will, genötigt. Wie kann man unter dieser paradoxen Bedingung eine Politik betreiben, die den Menschenrechten, notfalls sogar mit militärischer Gewalt, gleichmäßig Nachachtung verschaffen soll? Die Frage stellt sich auch dann, wenn man nicht überall eingreifen kann – nicht zugunsten der Kurden, nicht zugunsten der Tschetschenen oder Tibetaner, aber wenigstens vor der eigenen Haustür auf dem zerrissenen Balkan. Ein interessanter Unterschied im Verständnis der Menschenrechtspolitik zeichnet sich zwischen Amerikanern und Europäern ab. Die USA betreiben die globale Durchsetzung der Menschenrechte als die nationale Mission einer Weltmacht, die dieses Ziel unter Prämissen der Machtpolitik verfolgt. Die meisten Regierungen der EU verstehen unter einer Politik der Menschenrechte eher ein Projekt der durchgreifenden Verrechtlichung internationaler Beziehungen, das die Parameter der Machtpolitik schon heute verändert.

Die USA haben in einer von der UNO nur schwach reglementierten Staatenwelt die Ordnungsaufgaben einer Supermacht übernommen. Dabei fungieren Menschenrechte für die Bewertung politischer Ziele als moralische Wertorientierungen. Es gab natürlich immer isolationistische Gegenströmungen, und wie andere Nationen verfolgen auch die USA in erster Linie eigene Interessen, die nicht immer im Einklang mit den erklärten normativen Zielen stehen. Das hat der Vietnamkrieg gezeigt, das zeigt immer wieder der Umgang mit Problemen im eigenen »Hinterhof«. Aber die »neue Mischform von humanitärer Selbstlosigkeit und imperialer Machtlogik« (Ulrich Beck) hat in den Vereinigten Staaten Tradition. Unter den Motiven von Wilson, in den Ersten, und von Roosevelt in den Zweiten Weltkrieg einzutreten, gab es eben auch die Orientierung an Idealen, die in der pragmatistischen Tradition tief verwurzelt sind. Dem verdanken wir, die 1945 besiegte Nation, dass wir zugleich befreit worden sind. Aus dieser sehr amerikanischen, also nationalen Sicht einer normativ orientierten Machtpolitik muss es heute plausibel erscheinen, den Kampf gegen Jugoslawien, unangesehen aller Komplikationen, geradlinig und kompromisslos fortzusetzen, nötigenfalls auch mit dem Einsatz von Bodentruppen. Immerhin hat das den Vorzug der Konsequenz. Aber was sagen wir, wenn eines Tages das Militärbündnis einer anderen Region – sagen wir in Asien – eine bewaffnete Menschenrechtspolitik betreibt, die auf einer ganz anderen, eben *ihrer* Interpretation des Völkerrechts und der UN-Charta beruht?

Hemmschwellen für den Paternalismus

Anders sieht sie Sache aus, wenn die Menschenrechte nicht nur als *moralische* Orientierung des eigenen politischen Handelns ins Spiel kommen, sondern als Rechte, die im *juristischen* Sinne implementiert werden müssen. Menschenrechte weisen nämlich ungeachtet ihres rein moralischen Gehalts die strukturellen Merkmale von subjektiven Rechten auf, die von Haus aus darauf angewiesen sind, in einer Ordnung zwingenden Rechts positive Geltung zu erlangen. Erst wenn die Menschenrechte in einer weltweiten demokratischen Rechtsordnung in ähnlicher Weise ihren »Sitz« gefunden haben wie die Grundrechte in unseren nationalen Verfassungen, werden wir auch auf globaler Ebene davon ausgehen dürfen, dass sich die Adressaten dieser Rechte zugleich als deren Autoren verstehen können. Die Einrichtungen der UNO sind auf dem Wege, den Kreis zwischen der Anwendung zwingenden Rechts und der demokratischen Rechtsetzung zu schließen. Wo das nicht der Fall ist, bleiben aber Normen, und seien sie noch so moralisch in ihrem Inhalt, *gewaltsam auferlegte* Beschränkungen. Gewiss, im Kosovo versuchen die Interventionsstaaten die Ansprüche derer durchzusetzen, deren Menschenrechte von der eigenen Regierung mit Füssen getreten werden. Aber die Serben, die auf den Straßen von Belgrad tanzen, sind, wie Slavoj Žižek feststellt, »keine verkappten Amerikaner, die darauf warten, vom Fluch des Nationalismus erlöst zu werden«. Ihnen wird eine politische Ordnung, die gleiche Rechte für alle Bürger garantiert, mit Waffengewalt aufgenötigt. Das gilt auch unter normativen Gesichtspunkten, solange nicht wenigstens die UNO gegen ihr Mitglied Jugoslawien militärische Zwangsmaßnahmen beschlossen hat.

Selbst neunzehn zweifellos demokratische Staaten bleiben, wenn sie sich selbst zum Eingreifen ermächtigen, Partei. Sie üben eine Interpretations- und Beschlusskompetenz aus, die, wenn es heute bereits mit rechten Dingen zuginge, nur unabhängigen Institutionen zustünde; insoweit handeln sie paternalistisch. Dafür gibt es gute moralische Gründe. Wer aber *im Bewusstsein* der Unvermeidlichkeit eines vorübergehenden Paternalismus handelt, weiß auch, dass die Gewalt, die er ausübt, noch nicht die Qualität eines im Rahmen einer demokratischen Weltbürgergesellschaft legitimierten Rechtszwangs besitzt. Moralische Normen, die an unsere bessere Einsicht appellieren, dürfen nicht wie etablierte Rechtsnormen erzwungen werden.

Aus dem Dilemma, so handeln zu müssen, als gäbe es schon den voll institutionalisierten weltbürgerlichen Zustand, den zu befördern die Absicht ist, folgt nicht die Maxime, die Opfer ihren Schergen zu überlassen. Die terroristische Zweckentfremdung staatlicher Gewalt verwandelt den klassischen Bürgerkrieg in ein Massenverbrechen. Wenn es gar nicht anders geht, müssen demokratische Nachbarn zur völkerrechtlich legitimierten Nothilfe eilen dürfen. Gerade dann erfordert aber die Unfertigkeit des weltbürgerlichen Zustandes eine besondere Sensibilität. Die bereits bestehenden Institutionen und Verfahren sind die einzig vorhandenen Kontrollen für die fehlbaren Urteile einer Partei, die für das Ganze handeln will.

Eine Quelle von Missverständnissen ist beispielsweise die historische Ungleichzeitigkeit von politischen Mentalitäten, die unvermittelt aufeinanderstoßen. Zwischen dem Krieg der Nato in der Luft und dem Krieg der Serben am Boden besteht zwar keine Zeitdifferenz von vierhundert Jahren, wie Enzensberger meint. Beim großserbischen Nationalismus kommt mir eher Ernst-Moritz Arndt als Grimmelshausen in den Sinn. Aber Politologen haben festgestellt, dass sich eine Differenz zwischen »Erster« und »Zweiter« Welt in einem neuen Sinne herausgebildet hat. Nur die friedlichen und wohlhabenden OECD-Gesellschaften können es sich leisten, ihre nationalen Interessen mit dem halbwegs weltbürgerlichen Anspruchsniveau der Vereinten Nationen mehr oder weniger in Einklang zu bringen. Demgegenüber hat die »Zweite Welt« (in der neuen Lesart) das machtpolitische Erbe des europäischen Nationalismus angetreten. Staaten wie Libyen, Irak oder Serbien gleichen ihre instabilen Verhältnisse im Inneren durch autoritäre Herrschaft und Identitätspolitik aus, während sie sich nach außen expansionistisch verhalten, in Grenzfragen sensibel sind und neurotisch auf ihre Souveränität pochen. Beobachtungen dieser Art erhöhen die Hemmschwellen im Umgang miteinander. Heute rechtfertigen sie die Forderung nach verstärkten diplomatischen Bemühungen.

Eine Sache ist es, wenn die USA in den Spuren einer wie auch immer bewundernswerten politischen Tradition die menschenrechtlich instrumentierte Rolle des hegemonialen Ordnungsgaranten spielen. Eine andere Sache ist es, wenn wir den prekären

Übergang von der klassischen Machtpolitik zu einem weltbürgerlichen Zustand über die Gräben eines aktuellen, auch mit Waffen ausgetragenen Konflikts hinweg als gemeinsam zu bewältigenden Lernprozess verstehen. Die weiter ausgreifende Perspektive mahnt auch zu größerer Vorsicht. Die Selbstermächtigung der Nato darf nicht zum Regelfall werden.

3. Eine Art Logo des freien Westens

Der Spendenskandal befindet sich in der Phase des Abschwungs. Das CDU-Präsidium rafft sich zu konstruktiven Schritten auf; weitere Enthüllungen aus Wiesbaden stoßen nur noch auf mattes Interesse. Die Mühlen der Staatsanwaltschaften und der Untersuchungsausschüsse mahlen langsam. Zurück bleibt die Irritation über das eigentümliche Missverhältnis zwischen der Größenordnung der Affäre und ihrer Folgenlosigkeit: Schäuble als der einzige Verlierer? Der anschwellende mediale Lärm und das geräuschlose Ausklingen gehören freilich zum Verlaufsmuster politischer Skandale. Und hatte dieser nicht die Züge eines ganz gewöhnlichen Skandals?

Mit dem Augsburger Haftbefehl gegen den früheren CDU-Schatzmeister Walther Leisler Kiep begann die Affäre am 14. November eher harmlos. Sie gewann einen Monat später mit den Geständnissen des Ex-Kanzlers und seines Innenministers ein Gewicht, das die Reputation einer Volkspartei beschädigt, den amtierenden Vorsitzenden mitgerissen, eine Landtagswahl überschattet und den Bestand einer Landesregierung gefährdet hat. Ehrenmänner wurden als Ganoven entlarvt. Alles fügte sich in die Dramaturgie einer Schmierenkomödie: die Hinhaltetaktik von Hauptakteuren, die ihre »Erkenntnisse« unter dem Druck von Presse und Justiz scheibchenweise preisgeben; die Besetzung der Nebenrollen mit einem erpresserischen Informanten aus dem kanadischen Hinterhalt, mit dem buchhalterisch korrekt betrügenden Wirtschaftsprüfer aus dem Reihenhaus, einem in Bangkok untergetauchten Staatssekretär usw.; die internationale Vernetzung von hohen Politikern und Beamten mit undurchsichtigen Lobbyisten und Agenten; das grenzüberschreitende System von schwarzen Konten und klangvollen Stiftungen. Nicht zu vergessen die einfallsreich-obszöne Tarnung illegaler Geldströme als »jüdische Vermächtnisse« sowie jene leckeren Details, die von »Bild«-Reportern erfunden sein könnten – die über den Schreibtisch gereichten Köfferchen mit Barem, die Geldbündel vom Münchner Großkonzern unter der Bettdecke des Zürcher Nobelhotels oder jener Tresor, den der Steuerberater der CDU (in der SZ vom 4./5. März 2000) liebevoll als »mannshohen, begehbaren Schrank« beschreibt.

Kein gewöhnlicher Skandal

Andererseits fehlt dem Spektakel etwas, das Null-acht-fünfzehn-Skandale auszuzeichnen pflegt – der unzweideutige Charakter der auslösenden Affäre. Für gewöhnlich reichen Alltagspsychologie und Alltagsmoral zur Beurteilung des Allzumenschlichen aus, sodass die öffentliche Reaktion in einer Empörung ohne eigenen informativen Gehalt verraucht. Die Welle der Entrüstung hat einen klärenden Effekt nur insofern, als sie bestehende Normen noch einmal bekräftigt. Der Ertappte tut gut daran, dem geballten Einverständnis nicht zu widersprechen. In dieser Hinsicht ist der Spendenskandal kein gewöhnlicher Skandal. Auffällig ist die geradezu bizarre Uneinsichtigkeit der Hauptbeteiligten. Das fehlende Unrechtsbewusstsein der Täter findet in der Klage der Parteifreunde über schlechtes Krisenmanagement ein vernehmliches Echo – so als sei die Panne durch clevere Öffentlichkeitsarbeit zu beheben gewesen. Auch das Publikum ist gespalten. In Schleswig Holstein hielt sich der Verdruss der CDU-Wähler in Grenzen. In der besseren Gesellschaft von Hamburg und Bremen stieß das Ehrenwort, das einen Gesetzesbruch deckt, auf offene Zustimmung. Das sollte allein an der Fallhöhe eines verdienten »Staatsmannes« liegen?

Kanther, der Gelder ungeklärter Herkunft auf schwarzen Konten geparkt und verschoben hat, gibt sein Mandat mit der Begründung auf, eine »Treibjagd« zu beenden. Kohl, der mit seinen Praktiken gegen Verfassung und Gesetz verstoßen hat, legt den Ehrenvorsitz erst auf Drängen des Parteipräsidiums nieder. Er übernimmt »politische Verantwortung« für einen »Fehler«, ohne daraus die nahe liegende Konsequenz zu ziehen, auf seinen Sitz im Bundestag zu verzichten. Koch, der einen Rechenschaftsbericht gefälscht hat, bekennt sich zu seiner »Dummheit« und macht munter weiter. Der Habitus der folgenlosen Entschuldigungen und die mentale Verfassung der ins Netzwerk verstrickten Mitwisser wären ein Rätsel, wenn es sich um eine stinknormale, wohl umschriebene Affäre handelte. Gewiss, an der Phänomenologie der Verwendung von Bimbes zum Zwecke der Machterhaltung und an den kriminellen Schleichwegen dieser Praxis gibt es nichts zu deuten. Ebenso unzweideutig sind die unmittelbar berührten Rechtsnormen – Satz 4 des ersten Absatzes von Grundgesetzartikel 21 sowie die einschlägigen Bestimmungen des Parteiengesetzes. Gleichwohl sind Relevanz und Gewicht der Affäre umstritten. Man fragt sich, um welche Affäre es sich überhaupt handelt.

Welche Krise?

Skandale entfalten sich stets im Medium des Geredes. Und doch fällt niemandem etwas dazu ein, weil sich alle über die Art des skandalösen Verhaltens und die Bewertung des Normverstoßes einig sind. Bei diesem Skandal war es anders. Die Interpreten fühlten sich sogleich auf den Plan gerufen, um die Krisen zu untersuchen, die sich hinter dem Skandal verbergen sollen. Noch die Intervention von Leuten, die jeden Anlass wahrnehmen, um ihr Hobby zu reiten, beispielsweise die Einführung des Mehrheitswahlrechts oder eines Präsidialsystems zu fordern, sprechen für einen gegebenen Interpretationsbedarf. Andererseits haben auch die seriöseren Deutungen – diesseits einer reformbedürftigen Satzung der Bundes-CDU – keine Probleme zutage gefördert, die zur Erklärung des Phänomens viel beitragen.

Die einen wollen der »Krise der Parteienfinanzierung« durch ein verbessertes Parteiengesetz begegnen. Hans Peter Bull fragt sie mit Recht, was damit erreicht werden könnte, »wenn doch diejenigen, die schon gegen die geltende Fassung verstoßen haben, kein Unrechtsbewusstsein zeigen und nicht bereit sind, ihre Pflichten wenigstens im Nachhinein zu erfüllen.« Andere verlegen die Krise eine Ebene tiefer und fordern die »Rückbildung des Parteienstaates in eine lebendige Parteiendemokratie«, um der staatlichen Ämterordnung wieder ein eigenes Gewicht zu geben. Aber ein »substantieller« Staat, der den demokratischen Parteien entrückt wäre, garantiert noch keine neutrale Machtausübung. Im Übrigen ist für den unerwünschten Trend zur »Verstaatlichung« der Parteien, den wir seit Jahrzehnten beobachten, die Verflechtung von West-LB und Düsseldorfer Landesregierung signifikanter als das Finanzgebaren von Kohl, Kanther & Co.

Ebenso wenig überzeugt die noch tiefer schürfende Diagnose, die einen Verfall des konservativen Denkens beschwört. Überleitungsintellektuelle wie Arnold Gehlen hatten den Konservativismus in der soeben entnazifizierten Bundesrepublik bereits für die veränderten Verhältnisse fit gemacht. Sie haben die zukunftsträchtige Kombination von festen Werten und haltenden Mäch-

ten mit wissenschaftlich-technischem Fortschritt und wirtschaftlicher Produktivität vorbereitet. Diese Vorgabe ist von den
Neokonservativen der 70er Jahre nur mit sozialstaatlichen Ak-
zenten versehen worden und diente zunächst als Grundlage für
Kohls geistig-moralische Wende. In einer neoliberalen Spielart
führen Stoiber und Koch dieselbe ideologische Arbeitsteilung mit
offensiver Betonung der eigenen kulturellen Identität fort. Dabei
haben sie so großen Erfolg, dass man sich um die mentalen Polster
des konservativen Lagers keine Sorgen machen muss. Wenn aber
alle diese Krisendiagnosen nicht greifen, wie sind dann die normative Unempfindlichkeit der Akteure und die geteilte Reaktion
des Publikums zu erklären?

Der Skandal im Skandal

Kohls Versuch, etwas für seine Rehabilitation zu tun, ist fehlge-
schlagen. Nehmen wir einmal an, dass Kohl Regressforderungen
seiner Partei zuvorkommen und den Schaden von 6,3 Millionen,
der nach seiner Berechnung durch ihn entstanden ist, ausgleichen
wollte. Dann hätte er diese Summe persönlich aufbringen müssen, sei es aus eigenem Vermögen, auf dem Wege der Kreditauf-
nahme oder durch Schenkungen, die Freunde ihm zuwenden.
Wenn er andererseits die Absicht hatte, die wenig erfolgreichen
Spendenaufrufe seiner Partei wirksam zu unterstützen, hätte er
seine Freunde unauffällig bitten müssen, der gebeutelten CDU
mit legalen Zuwendungen unter die Arme zu greifen. Stattdessen
hat Kohl einen dritten Weg gewählt. Er hat sich demonstrativ in
der Rolle des potenten Sammlers und Überbringers von Partei-
spenden inszeniert. Er wollte öffentlich vorführen, dass die Spenden – als Zeichen der Solidarisierung mit seinem unverdienten
Schicksal – de facto an ihn als Empfänger adressiert sind, obgleich
sie de jure nur der Partei vermacht werden können. Auf diesem
Wege hat sich Kohl erneut zum Paten aufgeworfen, der die Mus-
keln spielen lässt, indem er sein soziales Kapital in bare Münze
verwandelt – alles für die Familie. Und die nochmals gedemütigte
CDU? Sie macht gute Miene zum bösen Spiel und nimmt verdruckst das Geld an. Kohls Chuzpe wird allerdings vom Chor derer begleitet, die die CDU vor dem »Büßerhemd« warnen und zur
Tagesordnung übergehen möchten.

Man kann die ganze Chose nicht ohne die mentalen Dispositionen verstehen, die erklären warum, was heute Kritik verdient, in der Vergangenheit als übliche, wenigstens lässliche Praxis gelten konnte. Dazu drei Vermutungen, wobei ich für die erste nur schwache Anhaltspunkte habe. Dass auch nach dem Flick-Skandal ein inzwischen illegales Gebaren fortgesetzt worden ist, könnte mit stillschweigend geübten Praktiken zusammenhängen, über die gesicherte Daten nicht vorliegen. Steuerhinterziehung als ein Kavaliersdelikt der Wirtschaftsgesellschaft, das in bestimmten Kreisen sozusagen funktional eingewöhnt ist?

Offensichtlicher ist die Rolle eines Antikommunismus, der dazu neigte, Gegensätze des demokratischen Meinungsstreits in Fronten eines Bürgerkrieges zu verwandeln. Carl Schmitt war ja in der Bundesrepublik auch dadurch ein Nachleben beschert worden, dass Kampagnen gegen »innere Feinde« für viele ein Gebot der Stunde waren. Wer geriete nicht ins Grübeln, wenn er von Horst Weyrauch erfährt, dass die CDU die Unterlagen über ihre BND-Gelder, die für die Unterstützung von Auslandsparteien im Kampf gegen deren linke Konkurrenten bestimmt waren, in demselben Zürcher Tresor unterbrachte wie Aufzeichnungen über (illegale?) Spendenzuflüsse.

Nachholende Entwicklung

Der erstaunlichste Aspekt ist jedoch Kohls und Kanthers normativ entspannter Umgang mit der Verfassung. Heute machen sich unsere Historiker daran zu erklären, warum sich in der Bundesrepublik, trotz der überwältigenden personellen und geistigen Kontinuitäten mit der NS-Zeit, eine stabile Demokratie hat ausbilden können. Gewiss, es hat Jahrzehnte gedauert, bis die abstrakten Verfassungsgrundsätze in Gemüt und Gesinnung der nachgewachsenen Generationen Wurzeln geschlagen haben. Aber selbst wir Alarmisten, die wir bis in die 8oer Jahre hinein misstrauisch geblieben sind, haben nicht damit gerechnet, dass sogar in Teilen der politischen Elite die Verfassung offenbar eher instrumentell, als eine Art Logo des »freien Westens«, begriffen worden ist und nicht als überzeugende, gelebte Norm, an der sich das eigene Verhalten selbstverständlich orientiert. Wie anders soll man die merkwürdige Art von »zivilem Ungehorsam« verstehen, die, weil sie sich auf private Ehrvorstellungen statt auf Verfassungsprinzipien beruft, mit Grundsätzen des demokratischen Rechtsstaates tatsächlich unvereinbar ist. Die skurrile Naturrechtsauffassung des Pater Basilius Streithofen kann Kohl von diesem Makel ebenso wenig salvieren wie der freiwillige juristische Feuerschutz, den prominente Staatsrechtler dem Bedrängten anbieten. Ein Verstoß gegen die Verfassung lässt sich nicht zur Ordnungswidrigkeit herunterspielen. Ernst-Wolfgang Böckenförde und Günter Frankenberg haben (in der FAZ vom 14. und 22. Februar 2000) zu dem selektiven Verfassungsverständnis ihrer Kollegen das Nötige angemerkt.

Aus der Retrospektive mag sich die subjektive Ermäßigung normativer Verbindlichkeiten als Teil einer nachholenden Entwicklung des demokratischen Bewusstseins darstellen. Aber die verblassenden Motive der Vergangenheit treffen sich heute mit gleichgerichteten Tendenzen ganz anderer Art und Herkunft.

Zwei Lesarten der »Hypermoral«

Die moralischen Grundsätze, die der Bundesvorstand der FDP gegen die politische Klugheit der hessischen Parteifreunde ins Feld geführt hat, haben den Verdacht auf sich gezogen, nur Ausdruck einer normativ verkleideten Machtstrategie zu sein. Man kann diese Kommentare wohl als Warnung vor den destabilisierenden Folgen von moralischer Kritik überhaupt lesen: »Zu viel« Moral ist gefährlich, weil sie eingewöhnte Praktiken und Werte zersetzt. Einen anderen, postmodernen Sinn gewinnt die biederneokonservative Ablehnung der »Hypermoral«, wenn Einsichten von Foucault und Luhmann zum großen Reinemachen der Besserwissenden umfunktioniert werden. Zwar ist der Spendenskandal zum Ruhmesblatt eines investigativen Journalismus geworden, der für seine Enthüllungen noch normative Maßstäbe braucht und unterstellt. Aber diese »Naivität« versucht der neue Nietzscheanismus mit seiner Dekonstruktion aller Maßstäbe zu übertrumpfen. Aus dem wahrhaft kritischen Blickwinkel soll nämlich die Politik ganz in ihren Affären aufgehen, wobei Argumente ihren Sinn in der Funktion für machtgesteuerte Medienstrategien erschöpfen.

Mit dem Eintritt ins nachmoderne Reich der virtuellen Realitäten, so wird uns versichert, verlieren Unterscheidungen wie Sein und Schein, Faktizität und Geltung, richtig und falsch ihre diskriminierende Kraft. Diese intellektuelle Entdifferenzierungsarbeit hätte gegen das gewitzte Bündnis von Commonsense und Aufklärung keine guten Karten, wenn sich nicht die Politik selbst von ihren normativen Gehalten löste – ob nun unter neoliberalen Vorzeichen oder auf Dritten Wegen. Eine Politik, die ihren Handlungsspielraum und ihre Gestaltungskraft zugunsten selbstgeschaffener systemischer Zwänge aufgibt, verabschiedet sich auch von einem zentralen Versprechen der Moderne. Sie bietet sich nicht länger als das Medium an, über das eine Gesellschaft mit dem diskursiv gebildeten und informierten Willen ihrer demokratisch vereinigten Bürger auf sich selbst einwirken kann. Es ist diese Hoffnung, die in der Erosion des bürgerlichen Normbewusstseins zerbröselt.

4. Der Zeigefinger.
Die Deutschen und ihr Denkmal

Im November 1989 fiel die Berliner Mauer. Zur gleichen Zeit ließ sich der »Förderkreis zur Errichtung eines Denkmals für die ermordeten Juden Europas« ins Vereinsregister eintragen. Diese Initiative hat ein lange zauderndes Parlament endlich in Bewegung gebracht. Fast ein Jahrzehnt später, nach zwei Ausschreibungen, vielen Diskussionsrunden, dem Stillstand des vergangenen Herbstes, hat der zuständige Bundestagsausschuss mit einer Anhörung zur Frage des Warum, Wo und Wie des zentralen Holocaust-Denkmals begonnen. Die von Walser angestoßene Debatte hat das Blatt gewendet. Der Schuss ging nach hinten los. Die politische Öffentlichkeit hat sich freilich von den Rülpsern einer unverdauten Vergangenheit, die aus dem Bauch der Bundesrepublik in regelmäßigen Abständen aufsteigen, diesmal nur dank der Courage – das war das Beunruhigende – eines prominenten Juden befreien können.

Vor der Sommerpause soll der Bundestag über das Vorhaben endgültig entscheiden. Täuschen wir uns nicht. In der fünfzigjährigen Geschichte der Bundesrepublik ist dies der erste Zeitpunkt, an dem ein parlamentarisches Votum für ein solches unübersehbar in die Zukunft hineinragendes Zeichen einer geläuterten kollektiven Identität der Deutschen überhaupt in den Bereich des Möglichen rückt. Es scheint auch der letzte Zeitpunkt zu sein, an dem das noch möglich ist. Eine Berliner Republik, die der falschen, der monumentalen Vergangenheit gewidmet werden soll, wirft ihre Schatten voraus…

Schröder, der den Berliner Reichstag, das künftige Parlamentsgebäude des Bundestages, »Reichstag« genannt haben möchte, wendet sich gegen die »Unart, dem Volk den erhobenen Zeigefinger zu zeigen«, wo andere schon von »Diskurspolizei« sprechen. Es ist ja wahr, von Heuss und Heinemann bis Herzog und Rau hat zwischen veröffentlichter Meinung, offiziellem Sprachgebrauch und formeller Rede auf der einen, gesundem Volksvorurteil und Stammtischgeschwätz auf der anderen Seite nicht nur eine Differenz der Sprachebenen, sondern ein sprachfilterndes Gefälle bestanden. Dem sind gelegentlich, armer Jenninger, auch die Falschen zum Opfer gefallen. Aber jener Filter war eine wesentliche Voraussetzung für die allmähliche Verfertigung einer liberalen, über tiefe innenpolitische Gräben hinweg erkämpften politischen Kultur. Aber nun soll der anspielungsreiche Unterschied zwischen »Bundestag« und »Reichstag« eingeebnet werden. Der amtierende Kanzler ist drauf und dran, in die Nachgeschichte einer Republik, die glücklicherweise noch lernte, statt aufzutrumpfen, als Plattmacher einzugehen. Jenem Denkmal, das ein Stachel bleiben soll, zieht er ein gefälliges Stadtschloss vor – als stimmungsvolle Kulisse für den Verfall aller Unterscheidungen, die noch einen Unterschied machten.

Die leidenschaftliche Kontroverse über das geplante Denkmal wird seit Jahren mit Ernst und auf hohem Niveau ausgetragen. Sie hat in der Frage des Verfahrens, aber auch in der Sache zu Klärungen geführt. Über Sinn und Funktion des Denkmals ist man heute einig, während Fragen der ästhetischen Gestaltung aus gutem Grunde umstritten bleiben. Eine wichtige Frage ist offen geblieben: ob das Denkmal allein den ermordeten Juden gewidmet werden soll. Beginnen wir mit der Frage nach dem Sinn des Vorhabens: Wer will eigentlich was mit diesem Mahnmal ausdrücken? – sowie mit der Frage nach seinem Zweck – Wozu soll es dienen und an wen richtet sich seine Botschaft?

Der Sinn des Denkmals

Die Katastrophengeschichte des 20. Jahrhunderts hat fast überall die nationalen Traditionen aus ihrer Fraglosigkeit aufgescheucht. Die kollektive Identität von Staatsbürgernationen ist auch andernorts in Fluss geraten. Aus mehr oder weniger kontingenten Anlässen – Skandalen und Gerichtsverfahren, sensiblen Gesetzesvorhaben, historischen Darstellungen, Filmen, Fernsehserien usw. – entstehen öffentliche Kontroversen, die Fragen des politischen Selbstverständnisses berühren. Dann wird darüber gestritten, welches Bild die Bürger eines Landes von sich haben – wer sie sind und sein wollen. In der frühen Bundesrepublik gab es zahlreiche Anlässe dieser Art – die Politik der Wiederbewaffnung, den Fall des Ministerialrats Globke, die Aufführung von Veit-Harlan-Filmen, die Entführung des Verfassungsschutzpräsidenten John, die Frage der Verjährung von Straftaten der NS-Zeit, das Tragen von Orden des Dritten Reiches, die atomare Ausrüstung der Bundeswehr, natürlich den ersten großen Auschwitz-Prozess in Frankfurt, der den Vorwurf zur »Ermittlung« von Peter Weiss abgab.

Diese Anlässe haben sich bis heute, bis zur Wehrmachtsausstellung, zur Goldhagen-Debatte, zur Frage der Verwicklung der Banken und Großunternehmen in die NS-Vernichtungspraktiken, vervielfacht. Gleichzeitig haben sich die Diskussionen immer stärker auf *eine* Frage konzentriert. Trotz ihrer zunehmenden Virulenz hatte diese Frage allerdings eine durchschlagende, ja mentalitätsbildende Kraft von Anfang an: Übernehmen wir, die wir als Bürger der Bundesrepublik Deutschland in der politisch-rechtlichen und kulturellen Nachfolge des Staates und der Gesellschaft der »Tätergeneration« stehen, eine historische Haftung für die Konsequenzen ihrer Taten? Machen wir die selbstkritische Erinnerung an »Auschwitz« – die wachgehaltene Reflexion auf das mit diesem Namen verbundene Geschehen – explizit zum Bestandteil unseres politischen Selbstverständnisses? Akzeptieren wir die beunruhigende politische Verantwortung, die den später Geborenen aus dem von Deutschen verübten, unterstützten und geduldeten Zivilisationsbruch erwächst, als Element einer gebrochenen nationalen Identität? »Gebrochen« nur insofern, als diese Verantwortung den Willen zur Diskontinuierung irreführender Denkweisen in der Kontinuität eigener Überlieferungen bedeutet. Als mithaftende Nachfahren sagen wir das »Nie wieder« zu uns selbst. Der Bruch in der Fortsetzung unserer tragenden Traditionen ist die Bedingung wiedererlangter Selbstachtung.

Wenn das geplante Denkmal die Antwort auf diese Fragen sein soll, kann es nicht primär den Sinn haben, dass wir der jüdischen Opfer auch im Land der Täter gedenken – und zwar auf die nämliche Weise gedenken wie die Nachkommen der Opfer in Israel und den USA, wie die Nachdenklichen in aller Welt. Es kann nicht darum gehen, »dass die Juden von uns Deutschen ein Holocaust-Denkmal erhalten«. Dieses muss im Kontext unserer politischen Kultur einen anderen Sinn haben. Mit dem Denkmal bekennen sich die heute lebenden Generationen der Nachkommen der Täter zu einem politischen Selbstverständnis, in das die Tat – das im Nationalsozialismus begangene und geduldete Menschheitsverbrechen – *und damit* die Erschütterung über das Unsagbare, das den

Opfern angetan worden ist, als persistierende Beunruhigung und Mahnung eingebrannt ist. In der Anhörung war jetzt vom »tat- und täterzentrierten« Sinn des Denkmals die Rede.

Wer setzt das Denkmal?

Damit schließt sich der Kreis der Urheber, die ein solches Denkmal wollen können. Nicht die jüdischen Deutschen, nicht die hier lebenden Sinti und Roma, nicht die seit dem Ende des Zweiten Weltkrieges eingebürgerten Immigranten können sagen, was dieses Denkmal ausdrücken soll. Stifter sind diejenigen Bürger, die sich als die unmittelbaren Erben einer Kultur, in der »das« möglich war, vorfinden – in einem Traditionszusammenhang, den sie mit der Tätergeneration teilen. Mit ihrem Denkmal stellen sie gleichzeitig einen Bezug zu den Tätern, zu den Opfern und deren Nachkommen her.

Da wir nicht wissen können, wie wir selbst uns verhalten hätten, erklärt sich eine gewisse Zurückhaltung in der moralischen Beurteilung der Fehler der eigenen Eltern und Großeltern nicht nur aus der psychologisch erklärbaren Hemmung gegenüber den Nächsten. Als Bürger dieses Landes nehmen wir ein Interesse am dunkelsten Kapitel unserer Geschichte – am kriminellen Verhalten der Täter und dem problematischen Tun und Lassen der Tätergeneration – vor allem im Hinblick auf eine kritische Vergewisserung der eigenen politischen Identität. Dabei variiert die Bereitschaft, im historischen Rückblick den wahren Umfang von Schuld und Mitwissen zu erkennen und anzuerkennen, mit dem heutigen Verständnis von Freiheit – wie wir uns als verantwortliche Personen einschätzen und wie viel wir uns selbst als politisch Handelnden zumuten. Wie wir retrospektiv Schuld und Unschuld verteilt sehen – das war der politisch-ethische Kern der Goldhagen-Kontroverse –, spiegelt auch die Normen, nach denen wir uns heute gegenseitig als Bürger dieser Republik achten wollen.

Auch dieser kollektiven Selbstverständigung ist der Bezug zu einem partikularen Wir grammatisch eingeschrieben. Andererseits darf das Gedenken an die Opfer für diese Selbstreferenz nicht einfach funktionalisiert werden. Die Erinnerung an den Massenmord steht gewiss im Zusammenhang der politischen

Selbstverständigung der heutigen Generationen. Aber eine ausschließliche Konzentration auf das, was die Tat und die Täter für uns bedeuten, müsste den moralischen Kern des Mitleidens mit den Opfern aushöhlen. Der unbedingte moralische Impuls zum Erinnern darf nicht durch den Kontext der Selbstvergewisserung relativiert werden. Der Opfer – und *dieser* erst recht – können wir ernsthaft nur um ihrer selbst willen gedenken. Das war die richtige, wenn auch unvollständige Intuition, die den Förderkreis bei seiner Initiative ursprünglich geleitet hat.

Der Wert der schwachen, ja vergeblichen Kraft anamnetischer Solidarität geht erst recht verloren, wenn sich der Selbstbezug narzisstisch verselbständigt – und das Denkmal zum »Schandmal« wird. Wer Auschwitz für »unsere Schande« hält, ist an dem Bild interessiert, das andere von uns haben, nicht an dem Bild, das die Bürger der Bundesrepublik im Rückblick auf den Zivilisationsbruch von sich ausbilden, um sich selbst ins Gesicht sehen und gegenseitig achten zu können.

Mit einem Denkmal für die ermordeten Juden versuchen wir, mit uns selbst ins Reine zu kommen. Wir erfüllen damit keine Erwartung von Zeitgenossen, sei es innerhalb oder außerhalb Deutschlands. Die Vergangenheit trennt die Nachkommen der Täter von denen der Opfer. Diese gespaltene Vergangenheit wird das gemeinsame Handeln der Bürger in der Gegenwart nur dann nicht blockieren, wenn die eine Seite glaubwürdig für Verhältnisse einsteht, die für die andere Seite ein Zusammenleben erst möglich und vielleicht erträglich machen. Ein Holocaust-Denkmal ist auch Ausdruck dieser zivilen Rücksichtnahme auf die Nachkommen der Opfer.

Unter Beachtung der delikaten Rollenverteilung haben sich jüdische Mitbürger produktiv an der Debatte beteiligt. Nicht unmittelbar betroffen sind die inzwischen eingebürgerten Immigranten, die weder zur einen noch zur anderen Seite gehören. Sie haben sich allerdings mit der Einbürgerung auf eine politische Kultur eingelassen, deren historische Hypotheken sie kannten. Sie mögen andere Dinge als relevant ansehen und werden eines Tages im kulturellen Gedächtnis der Nation eigene Spuren hinterlassen haben. Aber heute können sie ihre Stimme nur im bestehenden Kontext zur Geltung bringen. Denn auf legitime Weise können sich im demokratischen Verfassungsstaat die Parameter der öffentlichen Diskurse nur von innen heraus verändern.

Der Zweck und die Adressaten

Als Bürger dieses Landes suchen die heute lebenden Deutschen einen symbolischen Ausdruck für ihr politisches, durch den historischen Bezug auf Auschwitz wesentlich charakterisiertes Selbstverständnis. Damit wollen sie die Identität einer den Bürgerrechten verpflichteten Nation in der Lesart bekräftigen, die unserer Geschichte angemessen ist. Dieser Aussagesinn des Denkmals erlaubt noch keine eindeutige Auskunft darüber, für was und für wen es bestimmt ist, wo es stehen und wie es aussehen soll. Es kann nicht der Zweck dieses Denkmals sein, den Holocaust als »Gründungsmythos der Bundesrepublik« einzusetzen.

Gewiss, die Kulturnation der Deutschen hat eine in Überzeugungen verankerte Bindung an universalistische Verfassungsprinzipien erst nach und *durch* Auschwitz ausgebildet – durch die lange verzögerte öffentliche Reflexion auf die letzte, bis dahin unvorstellbare Station einer seit den ersten Tagen des NS-Regimes offen zu Tage liegenden Ausgrenzung und Ausbürgerung von Juden und Kommunisten, von Fremden, Schwachen, Andersdenkenden und Anderslebenden – von staatlich definierten »inneren Feinden«. Diese traurige Tatsache ist keine »Obsession«, sondern eine Tatsache. Sie soll uns keineswegs derart auf die Rampe von Auschwitz fixieren, dass das kulturelle Gedächtnis blockiert wird und nicht mehr hinter die Nazizeit zurückreicht. Diesen Verdacht haben Strauss & Dregger seit langem mit der Parole geschürt, dass die tausendjährige Geschichte des Reiches nicht auf die kurzen zwölf Jahre des »tausendjährigen Reiches« reduziert werden dürfe.

Aus Anlass der Walser-Debatte hat Karl-Heinz Bohrer jüngst (in der NZZ vom 12./13. Dezember 1998) eindringlich versucht, diesen trüben Affekt mit einem guten Argument aufzuhellen: »Gedächtnis entsteht nur dann, wenn es ein Gedächtnis von Vielem gibt.« Das wird niemand bestreiten. Aber der historische Rückbezug auf Auschwitz soll und kann den Blick der Bürger (und nur um deren politisches Selbstverständnis geht es, nicht um die historische Forschung!) nicht auf »das Eine« fixieren, das alles andere ausblendet. Jede halbwegs vernünftige Traditionsaneignung setzt eine perspektivenreiche Geschichtswahrnehmung voraus. Bei der identitätsbildenden Verarbeitung des »Vielen« funktioniert die Erinnerung an »Auschwitz« allerdings als eine

Art Monitor, der zum Sondieren anhält, weil wir nach Auschwitz nationales Selbstbewusstsein nur noch aus den besseren Traditionen unserer nicht länger unbesehen, sondern kritisch angeeigneten Geschichte gewinnen können.

Obgleich die öffentliche Bekräftigung eines solchen Selbstverständnisses den Wunsch nach Verstetigung einschließt, können die gegenwärtigen Generationen Unwiderruflichkeit nur für sich selbst beanspruchen. Sie können künftige Generationen nicht binden – und sollten es auch nicht wollen. Natürlich richtet sich der symbolisch zum Denkmal gerinnende Akt der Selbstvergewisserung, der ja nicht zufällig den Beginn der Berliner Republik markieren soll, an die Deutschen von morgen. Das Denkmal hat den Zweck, künftige Generationen zur Stellungnahme aufzufordern. Sie sollen zu dem Stellung nehmen, was das Denkmal ausdrückt – was Auschwitz für die Identität der Deutschen ein halbes Jahrhundert danach bedeutet hat. Sie sollen sich dieser Stellungnahme, wie immer sie ausfallen mag, nicht durch Wegsehen und Gleichgültigkeit entziehen. In dieser Hinsicht wird das Denkmal – »Denkmal« nimmt übrigens erst im 17. Jahrhundert die engere Bedeutung von »Monument« an – zu einem »Mahnmal«.

Das Wie der Gestaltung

Aus dem Zweck ergibt sich, warum weder die Authentizität von Überresten oder Gedächtnisorten, die ein vergangenes Geschehen dokumentieren, noch der aufklärende Inhalt von Museen, Sammlungen oder Archiven ein Denkmal ersetzen können. Nur ein Denkmal kann den Willen und die Botschaft seiner Stifter bezeugen. Und nur eine kompromisslose Kunst bietet dafür die geeignete Sprache. Wer es etwas gemütlicher oder etwas diskursiver haben möchte, hat Sinn und Zweck des Vorhabens nicht begriffen. Der Zeigefinger der Museums- und Geschichtsstättenpädagogik ist etwas anderes als der des Johannes auf dem Altarbild von Matthias Grünewald.

Natürlich kann sich eine radikal säkularisierte Politik nicht mehr auf religiöse Bezüge stützen. In der späten Moderne gibt es keinen allgemein geteilten Kontext mehr, worin überlieferte symbolische Ausdrucksformen und rituelle Praktiken begründungsfrei kollektive Verbindlichkeiten erzeugen könnten. Die Wirkung eines Denkmals, das ästhetisch nicht misslingt, zehrt heute immer auch vom schwankenden Reservoir der Gründe, die zu seiner Errichtung geführt haben. Andererseits kann sich das kulturelle Gedächtnis einer Nation, das ja nicht mit privater Erinnerung verwechselt werden darf, im diskursiven Medium von Geschichtsschreibung, Literatur und Unterricht nicht allein fortpflanzen. Nach wie vor verlangt es symbolische Darstellung und Ritualisierung, obgleich die Formen und Ideen, die ein solches Vorhaben inspirieren, im Säurebad erbarmungsloser öffentlicher Diskurse jedes Scheins von Naturwüchsigkeit entkleidet werden.

Eine Darstellung des Zivilisationsbruchs mit Mitteln der Kunst ist schwierig, vielleicht unmöglich. Aber für den Akt, der hier seinen symbolischen Ausdruck sucht, gibt es kein besseres Medium als das der bildenden Kunst – als die abstrakte Formensprache der modernen Kunst, deren spröde Verschlossenheit noch am ehesten vor Peinlichkeiten und Verharmlosungen bewahrt. Jeder konkretierende Zusatz führt in die Falle falscher Abstraktionen. Beispielsweise würde hinter dem allgemeinen Satz »Du sollst nicht töten« der unerbittlich-spezifische Sinn des Unausdenklichen auch dann verschwinden, wenn man das Gebot auf Hebräisch wiederholt und in den verschiedenen Landessprachen der Ermordeten durchbuchstabiert. Gewiss, ich hätte mir auch einen anderen Ort und eine andere Gestalt als das Stelenfeld von Serra und Eisenmann vorstellen können – z. B. den von Salomon Korn vorgeschlagenen »abgrundtiefen Spalt« vor dem Eingang zum Berliner Parlamentsgebäude, über den dann jeder hinweg müsste, der den Bundestag betritt oder verlässt. Als Reflex jenes Risses in der Fassade des Jüdischen Gemeindehauses in Frankfurt wäre das Projekt freilich eine Entlehnung gewesen.

Ästhetische Diskurse lassen sich ohnehin nicht in der Erwartung einer »einzig richtigen Antwort« führen. Unter dieser Prämisse muss es genügen, dass es zu dem Entwurf, auf den die politische Diskussion jetzt zuzulaufen scheint, keine erkennbar bessere Alternative gibt. Nicht auf die Wahl des Werkes, allenfalls auf die Wahl eines jüdischen Architekten aus den USA könnte der winzige Verdacht eines unmerklichen Ausweichens der Jury vor der Verantwortung fallen, die in dieser Sache die Deutschen alleine tragen müssen. Sei's drum. Das Denkmal soll, damit es künftige Generationen zur Stellungnahme auffordert, unübersehbar sein, aber es darf diese Auffälligkeit nicht durch Monumentalität erreichen. »Monumentalismus« meint den versteinernden Eindruck einer triumphierenden Herrschaftsarchitektur. Diesen Vorwurf jedenfalls lässt das unaufdringliche Pathos des Negativen, das »Eisenmann II« auszeichnet, ins Leere laufen. Die sanft irritierende Woge der stumm aufgereihten, nackt aufragenden Pfeiler isoliert den Besucher vielleicht. Jedoch wird sie ihn, wenn ich recht sehe, nicht auf die erhebende Weise beklommen machen.

Die Zumutung

Ernst zu nehmen ist die zuletzt von György Konrád geäußerte Befürchtung, dass das Ressentiment einer Bevölkerung, die auf die Härte dieser Herausforderung reagiert, nicht auf die wohl meinenden Urheber, sondern auf die Juden selbst zurückfallen würde. Dieses Bedenken, so wenig es in den Wind zu schlagen ist, ist freilich vom selben Typ wie das andere, trivialere Bedenken derer, die den Vandalismus der Skinheads und Ähnliches so klug wie kleinmütig antizipieren. Ihr Kleinmut findet sich mit genau derjenigen Mentalität ab, gegen die das Denkmal antritt. Wenn wir ein solches Denkmal wollen, müssen wir es auch als Barometer für die Stimmungen wollen, deren wir Herr werden möchten – sonst dementieren wir das Vorhaben selbst. Solange die Integrität des Denkmals nicht ohne massives Polizeiaufgebot rund um die Uhr gesichert werden kann, hat unser Land eben die Art doppelbödiger Normalität noch nicht erreicht, die hier – for the time being – einzig möglich ist.

Andererseits soll man sich über die Art der Zumutung Klarheit verschaffen. »Der eigenen Schande kann man kein Denkmal setzen«: Hermann Lübbe, Rudolf Augstein, Martin Walser drücken ein Gefühl aus, das viele teilen. Sie sprechen aus der Tradition eines Opferkults, der – noch in meiner Jugend – auf den Heldentod, auf das präsumptiv freiwillige Sacrificium für die vermeintlich höheren Zwecke des eigenen Kollektivs zugeschnitten war. Die Aufklärung wusste, warum sie das Opfer abschaffen wollte. Das Zeitalter des europäischen Nationalismus wurde dann erst recht von Kriegerdenkmälern gesäumt, die dem triumphalen Andenken an die aktiven Opfer für eine sich selbst behauptende Nation dienten. Wenn heute die Nachkommen der Täter einer einzigartig monströsen Tat den fremden oder entfremdeten, jedenfalls passiven Opfern ein Denkmal setzen, muss sich die Perspektive ändern.

Nach wie vor geht es um die Selbstverständigung der Deutschen. Aber das geplante Denkmal wird den Blick der Besucher nicht mehr verehrend auf die eigenen Toten lenken. So verhält es sich auch noch beim nicht mehr triumphierenden Vietnamdenkmal in Washington. Jetzt muss sich der öffentliche Blick auf Opfer richten, die das Tun und Lassen der eigenen Eltern und Großeltern einmal zu Fremden gemacht, als Feinde ausgegrenzt, als Untermenschen gedemütigt, als Menschen, die keine mehr sein sollten, geschunden und vernichtet hat. Diese selbstkritische Grenzüberschreitung wird zudem einer Nation zugemutet, die gegenüber den eigenen, aus verständlicher Verlegenheit mehr oder weniger privatisierten Kriegstoten ein schlechtes Gewissen hat. Das Schuldgefühl des überlebenden gegenüber dem gefallenen Bruder ist in den einschlägigen Selbstverständigungsdebatten der Bundesrepublik bis heute ein unausgesprochenes, aber wichtiges Motiv gewesen.

Die Zumutung besteht also darin, moralische Gesichtspunkte, die in den bürgerlichen Gleichheitsnormen des Binnenverkehrs westlicher Gesellschaften längst rechtlich verankert sind, nicht nach Kriterien der Zugehörigkeit selektiv anzuwenden. Der Holocaust fordert die Deutschen zu einer räumlichen und zeitlichen Entgrenzung der moralischen Verantwortung der demokratischen Bürgergesellschaft auf, die mit den konventionellen Formen nationaler Totenkulte unvereinbar ist. Ist sie deshalb auch schon Ausdruck eines »negativen Nationalismus«, wie viele meinen?

Helmut Dubiel und Bernd Giesen, beides übrigens keine Historiker, belegen mit Beispielen aus anderen Nationen den allgemeinen Trend zu einem dezentrierten, die verletzten Anderen einbeziehenden kollektiven Selbstverständnis. In Spanien, in Südafrika und in den USA beispielsweise werden Auseinandersetzungen über die Kehrseite der Kolonialgeschichte geführt, die unserem »Historikerstreit« nicht zwar im Thema, aber in der Struktur ähnlich sind. Franzosen, Italiener, Holländer oder Schweden werden von der Zeit der Kollaboration eingeholt. Für alle gilt, dass »die eigene nationale Vergangenheit jetzt nicht mehr das Material einer positiven Vergewisserung des Status quo (bietet). Sie wird eher zu einer Kontrastfolie der Gegenwartsorientierung. Ihre öffentliche Erinnerung wird jetzt mit der Aufgabe bedacht, den mythischen Wiederholungszwang einer mit Schuld und Unrecht beladenen Geschichte zu brechen.« (H. Dubiel, Niemand ist frei von der Geschichte, Hanser 1999, 292) Mit diesem Wandel im kollektiven Selbstverständnis holt der Universalismus des demokratischen Verfassungsstaates den Partikularismus des mit ihm verschwisterten Nationalbewusstseins ein, indem er dieses gleichsam von innen umstrukturiert. Die Nationen bekommen die postnationale Konstellation auch auf diese Weise zu spüren.

Die offene Frage: Für wen?

Der moralische Universalismus der gleichen Achtung für jeden lässt sich nicht immer spannungsfrei mit dem ethischen Partikularismus der geschichtlichen Bezüge vereinbaren, in denen sich die Bürger einer Nation wiedererkennen. Die Spannung zwischen einem täter- und einem opferzentriertem Verständnis bricht auch im Streit über die Frage auf, ob das geplante Denkmal den »ermordeten Juden« oder allen Opfergruppen gewidmet werden soll. Reinhart Koselleck und Christian Meier haben immer wieder der universalistischen Intuition Gehör verschafft, wonach wir uns gegen eine »Hierarchisierung der Opfergruppen« sträuben. Wir dürfen die Opfer im Gedenken nicht noch einmal nach Gesichtspunkten sortieren, nach denen sie von den Schergen selektiert und abgestuften Qualen unterworfen worden sind. Nachdem die Widmung der Neuen Wache an die »Opfer von Krieg und Gewaltherrschaft« offensichtlich eine unerträgliche, Täter und Opfer zusammenwürfelnde Abstraktion vorgenommen hat, folgt die exklusive Bezugnahme auf die ermordeten Juden einer Partikularsierung, die das Opfer anderer Gruppen, jedenfalls am selben Ort, ignoriert. Wenigstens implizit scheint die den Sinti und Roma, den Politischen, den Geisteskranken, den Homosexuellen, den Zeugen Jehovas und den Deserteuren ein Unrecht zuzufügen, das nach Wiedergutmachung verlangt. Als Konsequenz befürchtet ein nicht gerade sensibler Diepgen das Entstehen einer »Opfermeile«; immerhin macht der salopp-zynische Ausdruck auf die aussichtslosen Folgeprobleme einer mit recht beanspruchten Gleichbehandlung aufmerksam.

Vielen leuchtet das universalistische Argument ein. Auch einer wie Hermann Cohen hätte ihm zugestimmt. Salomon Korn, Micha Brumlik, manche Juden hier im Lande teilen die Auffassung von Koselleck und Meier. Gleichwohl dürfen wir das Element, das erklärt, warum für uns heute »Auschwitz« auf eine so überwältigende Weise mit dem Holocaust der europäischen Juden verwoben ist, nicht übergehen. Die moralische Intuition, an die die Universalisten mit Recht appellieren, kreuzt sich mit einer anderen, wenn man will ethischen, auf das eigene Kollektiv bezogenen Intuition. Wenn wir von der besonderen Relevanz der Juden für das gesellschaftliche und kulturelle Leben der Deutschen, von der historisch folgenreichen, ganz spezifischen Nähe und Ferne der beiden ungleichen Pole absehen würden, machten wir uns dann nicht wiederum einer falschen Abstraktion schuldig?

Eine differentielle Behandlung von Opfern, die am Ende alle dasselbe Schicksal geteilt haben, ist moralisch nicht zu rechtfertigen. Aber etwas anderes fällt moralisch ins Gewicht. In den *abgestuften* Grausamkeiten, die die Täter und Mitläufer, die Zustimmenden und die ungerührt Zuschauenden gegenüber Juden und Nicht-Juden an den Tag gelegt haben, spiegelt sich eine Skala der Motive, die, wie Saul Friedländer sagt, auf den »Erlösungsantisemitismus« der Deutschen und ihrer Eliten zuläuft. Ohne die besondere Relevanz, die Juden in der Wahrnehmung ihrer deutschen Umgebung – im Guten wie im Bösen – zukam, hätte am Ende auch die Motivation für die Tat und deren Unterstützung gefehlt. Das zeigt sich beispielsweise an der kulturellen Interaktion seit Öffnung der Gettos. Die – wie Scholem sagte – von Anbeginn asymmetrische, spannungsreiche, aber eben auch produktive und seelenverwandte deutsch-jüdische Symbiose hatte eine Kehrseite. Insbesondere in den akademisch gebildeten Schichten und unter Intellektuellen (die sich ja zu Weimarer Zeiten, noch »die Geistigen« nannten) war ein kultureller Antisemitismus zum Comment geworden. Ohne diese Mentalität ließe sich die skandalös widerstandslose Anpassung des Bildungsbürgertums und die moralische Korruption der bis dahin tragenden Überlieferungen nicht erklären.

Die Intuition der hervorgehobenen gesellschaftlichen und kulturellen Bedeutung der Juden für uns Deutsche darf das unangreifbare moralische Gebot der gleichmäßigen Achtung im Gedenken aller Opfer nicht neutralisieren. Der »tat- und täterzentrierte« Sinn des Denkmals darf den »opferzentrierten« Sinn des Andenkens nicht konsumieren. Andererseits würden wir, wenn wir jene besondere Relevanz missachteten, von der Fatalität einer bestimmten Mentalität der Ab- und Ausgrenzung abstrahieren, die in die kritischen Selbstzuschreibungen des kulturellen Gedächtnisses aufgenommen werden sollte. Aus Gründen der Aufrichtigkeit uns selbst gegenüber wäre es daher wünschenswert, dass der Relevanzunterschied in einer nicht-exklusiven Widmung des Denkmals zur Geltung kommt.

Ich bin mir nicht sicher, ob »Auschwitz-Denkmal« beides zum Ausdruck bringen kann. Das Denkmal selbst trägt keinen Namen, es sei denn die an einem Ort eingravierten Namen der Vernichtungslager. Es braucht gleichwohl einen Namen für den administrativen Gebrauch, für die Wegweiser, vor allem im öffentlichen Bewusstsein. Heute wird der zuerst eingebürgerte Kollektivname »Auschwitz« fast gleichbedeutend mit dem später übernommenen Ausdruck »Holocaust« gebraucht. Tatsächlich erstreckt er sich aber nicht nur auf das Schicksal der Juden. Als pars pro toto meint er das komplexe Vernichtungsgeschehen im Ganzen.

III.
Öffentliche Repräsentation und kulturelles Gedächtnis

Der Streit um das Berliner Denkmal wirft die grundsätzliche Frage auf, wie die Erinnerung an identitätsbildende Ereignisse der jüngeren Geschichte im kulturellen Gedächtnis der Bürger heute noch eine angemessene symbolische Repräsentanz finden kann. Damit habe ich mich am 9. Dezember 1998 an der Dresdener Universität bei Gelegenheit eines vom Sonderforschungsbereich »Institutionalität und Geschichtlichkeit« veranstalteten Symposions beschäftigt. (Der Vortragstext ist erschienen in: Gert Melville (Hg.), *Institutionalität und Symbolisierung,* Köln: Böhlau 2001, 53-68.)

5. Symbolischer Ausdruck und rituelles Verhalten. Ein Rückblick auf Ernst Cassirer und Arnold Gehlen.

I.

Das Tagungsthema »Institutionalität und Symbolisierung« ergibt sich aus einer generellen Fragestellung, von der sich die Projekte des Sonderforschungsbereichs 537 leiten lassen. Zwei Projekte untersuchen beispielsweise für das republikanische Rom den Beitrag, den die Kommunikationsformen der Traditionssicherung sowie öffentliche Kulthandlungen, Rituale und Selbstinszenierungen zu der vergleichsweise großen Stabilität der staatlichen Ordnung und zum hohen Grad der politischen Integration der Bürger geleistet haben. Die Untersuchungen zielen auf die symbolische Dimension der Selbstdarstellung von Institutionen und auf die öffentliche Repräsentation ihrer Geltungsansprüche.

Es gibt Institutionen wie Herrscherfamilien oder Bankhäuser, Imperien oder städtische Kommunen, wie Kirchen, Akademien oder Geschäftsfirmen, die nicht ganz in ihrer funktional zu erklärenden Organisationsstruktur aufgehen. Solche Institutionen sichern kollektive Verbindlichkeiten auch mit Hilfe von symbolischen Ausdrucksformen und zeremoniellen Praktiken. Im Vergleich zu den alltäglichen, rational-durchsichtigen Formen der Verhaltenssteuerung behalten diese appellativen und rituellen Formen einen affektiv-imaginären, einen nicht-diskursiven Kern. Wir können solche »starken«, in der Moderne freilich immer »schwächer« gewordene Institutionen von bloßen Organisationen durch eine gewisse Naturwüchsigkeit unterscheiden. Sowohl auf der kognitiven Ebene der kommunizierten Inhalte wie auf der performativen Ebene des Protokolls besteht ein Überschuss an Symbolisierung, der natürlich in vielen Fällen zum Firmenlogo im Briefkopf, zur Herrschaftsarchitektur eines auftrumpfenden Bankhauses, zur modernen Kunst in den Vorstandsetagen oder zum Jahresrhythmus des Andechser Betriebsausflugs verblasst ist. Starke Institutionen bilden selbstbezügliche Traditionen und

Praktiken aus, die vor allem zwei Funktionen erfüllen. Nach außen ermöglichen sie die sinnfällige Repräsentation einer zwar selbst definierten, aber auf allgemeine Anerkennung angelegten Rolle – eine öffentlichkeitswirksame Interpretation der eigenen Leistung, die Symbolisierung der eigenen Bedeutung; nach innen artikulieren sie ein von Angehörigen oder Mitgliedern intersubjektiv geteiltes und normativ verpflichtendes Selbstverständnis. Dashalb sprechen wir von so etwas wie der »kollektiven Identität« einer Bürgerschaft, einer Gemeinde oder Belegschaft.

Wie passen Phänomene dieser Art in die Theorienlandschaft der heutigen Soziologie? Die Theorie wahlrationalen Handelns oder die Systemtheorie werden vielleicht nach latenten Funktionen solcher Randphänomene suchen, die sie als Residuen einer aus anderen Gründen entstandenen Praxis verstehen. Die klassische, auf Max Weber und Parsons zurückgehende Theorie des sozialen Handelns erklärt Verhaltensstabilitäten und Ordnungsleistungen schon eher unter Gesichtspunkten der Institutionalisierung. Auch diese Theorie wird freilich zu einer entdramatisierenden Beschreibung der symbolischen Aspekte neigen, weil sie Institutionalisierung als eine Verschränkung von Ideen und Interessen begreift, die auch ohne zeremonielle Praktiken auf Dauer gestellt werden kann. Dem Interesse des SFB kommt Emile Durkheim Religionssoziologie noch am nächsten. Aber was bleibt von den sakralen Ursprüngen der sozialintegrativen Bindungsenergien im Laufe der kommunikativen Verflüssigung von Mythos und Magie, Religion und Kultus noch übrig? Durkheim selbst scheint die Kontinuitäten zu betonen, wenn er fragt, ob es denn einen wesentlichen Unterschied gebe zwischen einer Versammlung von Gläubigen, die die Stationen des Leidensweges Christi feiert, und einer Vereinigung von Staatsbürgern, die sich des Gründungsaktes ihres verfassten politischen Gemeinwesens oder eines anderen bedeutenden Ereignisses ihrer nationalen Geschichte erinnert.

Die affirmative Antwort, die Durkheim zu Beginn des 20. Jahrhunderts noch suggeriert hat, fällt uns am Ende dieses Jahrhunderts nicht mehr so leicht – nicht uns, den Bürgern der Bundesrepublik. Denken Sie an den entleerten Nationalfeiertag, an die verstümmelte Nationalhymne, an den relativ schwachen Appeal von Schwarz-Rot-Gold, von repräsentativen Orten wie Bundeshaus oder Reichstag, von Daten wie dem 20. Juli oder dem

9. November. Jedenfalls dürfte die Bundesrepublik Deutschland ihre erstaunliche sozialintegrative Kraft kaum ihrer im ganzen glanzlosen symbolischen Selbstdarstellung verdanken. Aber mit dem Hinweis auf die blass gewordenen Ausdrucksformen und Zeremonien staatlicher Repräsentanz dürfen wir uns die Antwort auch nicht zu einfach machen.

Offensichtlich kann auch die Bundesrepublik nicht ohne die Neue Wache, nicht ohne die Rituale von Staatsbesuchen und öffentlichen Gedenkfeiern auskommen. In diesem Zusammenhang staatlicher Symbolik ist das umstrittene Denkmalprojekt für die ermordeten Juden Europas aufschlussreich. Die lange und quälende, in aller Öffentlichkeit und mit großem Ernst ausgetragene Kontroverse zeigt, was sich gegenüber der Routine der Kriegerdenkmäler des 19. und frühen 20. Jahrhunderts geändert hat – und warum. Was sich geändert hat, liegt auf der Hand. Die tradierten, von der Obrigkeit initiierten, vom Volk praktizierten Formen des kollektiven Gedächtnisses der Nation sind heute in den Strudel der Reflexion geraten. Mit der diskursiven Ausweitung und inneren Pluralisierung des Entscheidungsprozesses verlieren Symbole und Zeremonien ihren naturwüchsigen, d. h. alternativlos-bewusstseinsfernen und argumentationsfrei bindenden Charakter. Im Anblick jeder »Lösung«, die eines Tages aus dem politischen Streit der Öffentlichkeit hervorgehen wird, können alle wissen, dass das Resultat auch anders hätte ausfallen können. Das wird einer künftigen symbolischen Praxis bei aller Gewöhnung und Trivialisierung ein Bewusstsein von Kontingenz einschreiben, sodass sich auch noch spätere Generationen zum Nachvollziehen und gegebenenfalls zur Revision der rechtfertigenden Gründe aufgefordert fühlen.

Diese Reflexivität, die der anschaulichen Verkörperung und eingewöhnten Vergegenwärtigung eines Geschehens von existentieller Bedeutung entgegensteht, erklärt sich natürlich auch aus einem großflächigen Bewusstseinswandel, der Bestandteil der politischen und gesellschaftlichen Modernisierung im Ganzen ist. Für die Dauerreflexion, die die ethisch-politische Selbstverständigung *unseres* politischen Gemeinwesens nicht zur Ruhe kommen lässt, gibt es aber, wie unser Beispiel zeigt, auch einen bestimmten moralkognitiven Grund.

Wenn die deutschen Nachkommen der Täter den jüdischen Opfern ein Denkmal setzen, lässt sich die ethnozentrische Perspektive, die bisher die selbstreferentielle Vergewisserung der eigenen historischen Herkunft geleitet hat, nicht länger durchhalten. Der Blick, den die Kultur der Kriegerdenkmale auf das schmerzlich-rühmliche Schicksal der eigenen Gefallenen gelenkt hat, muss sich nun erweitern. Er soll nun auch jene Opfer einbeziehen, die das Tun und Lassen der eigenen Eltern und Großeltern einmal zu Fremden gemacht, als Fremde ausgegrenzt, gedemütigt und vernichtet hat. Dieses Moment der selbstkritischen Grenzüberschreitung macht es jedem Kollektiv, das sich seiner in nationalen Grenzen definierten Geschichte vergewissern will, schwer, für diese Praxis eine feste Form zu finden. Auch das steckt hinter dem ambivalenten Ruf nach »Normalität«. Wenn Rudolf Augstein in der vorletzten Nummer des »Spiegel« (Nr. 49/98) mit den Worten aufstöhnt »Nun soll in der Mitte der wiedergewonnenen Hauptstadt Berlin ein Mahnmal an unsere fortwährende Schande erinnern«, dann sträubt sich darin das partikularistische Bewusstsein des Deutschen, der sich vor den peinlichen Blicken der anderen fürchtet, gegen die universalistische Zumutung einer grenzüberschreitenden Inklusion. Hermann Lübbe sagt, was Martin Walser denkt: »Der eigenen Schande kann man kein Denkmal setzen«. Generationsgenossen unter sich.

Ich frage mich, ob dieses Beispiel nicht auf einen allgemeineren Tatbestand verweist. Der universalistische Kern des demokratischen Verfassungsstaates, ja des normativen Selbstverständnisses der Moderne überhaupt, macht symbolische Ausdrucks- und rituelle Darstellungsformen kollektiver Identitäten gewiss nicht überflüssig. Diese scheinen aber eines nicht mehr leisten zu können: normative Geltungsansprüche zu erzeugen und durch symbolische Gewalt, also begründungsfrei durchzusetzen. Kann man von politischen Institutionen, die ihre Legitimationen aus dem Erbe des Vernunftrechts beziehen, behaupten, dass die symbolische Verkörperung und rituelle Darstellung von leitenden Ideen noch auf die »Erzeugung« von normativen Verbindlichkeiten, noch auf die »Durchsetzung« von normativen Geltungsansprüchen abzielen? Ist die Überzeugungskraft normativer Verhaltenserwartungen auch hier noch in Inszenierungen verwurzelt, die Affekte binden und Gemüter beschlagnahmen – oder bleibt der demokratische Verfassungsstaat letztlich doch auf die prozedural institutionalisierte Vermutung der Akzeptabilität guter Gründe angewiesen? Vielleicht ist ein starker Institutionalismus eher auf die Selbstinszenierungen spättotalitärer Herrschaft als auf die symbolischen Leistungen eines demokratischen Verfassungsstaates zugeschnitten. Ich hoffe, dass die diachronisch angelegten Forschungsprojekte des SFB auch die Frage beantworten, ob sich ein Institutionenbegriff, der auf die symbolische Dimension abstellt, an der Fernsehkultur des späten 20. Jahrhunderts noch in ähnlicher Weise bewährt wie am mos majorum der Römer. In dieser Hinsicht weckt jedenfalls die Informationsbroschüre des vergangenen Jahres Erwartungen: »Wie Geltung hergestellt und garantiert wird, wie sie überdauernde Anerkennung findet, wie soziale Wirklichkeiten durch eine normativ wirkende Faktizität begründet werden – dies sind die Grundfragen jeder institutionellen Analyse.« (S. 18 f.)

Ich selbst muss mich auf einige Bemerkungen zum philosophiegeschichtlichen Hintergrund eines institutionentheoretischen Ansatzes beschränken, der auf Hegel zurückgeht. Nicht der Kantianer Durkheim, sondern der Kantkritiker Hegel ist es nämlich, der als erster die destabilisierenden Folgen des moralischen Universalismus fürchtet und mit dem moralkritischen Begriff der »Sittlichkeit« aufzufangen versucht.

II.

Seinen starken Institutionalismus begründet Hegel mit einer Kritik an der vermeintlich lebensfeindlichen »Abstraktheit« eines bloß formalen, einzig auf die Verallgemeinerung von Interessen abstellenden »moralischen Gesichtspunktes«, der im Kategorischen Imperativ seinen Ausdruck findet. In den einschlägigen Paragraphen der Rechtsphilosophie (§§ 105-156) zeigt Hegel, dass eine solche universalistische Pflichtethik, im Unterschied zu den Güter- und Gefühlsethiken in der Nachfolge von Aristoteles oder Hume, gewissermaßen in der Luft hängt. Hegel moniert vor allem die Abstraktionszumutungen der Kantischen Pflichtethik. Diese sieht erstens ab von den tatsächlichen Motiven oder Neigungen der moralisch handelnden Personen. Sittliche Gebote stehen weder mit Präferenzen noch mit den im Laufe der Sozialisation ausgebildeten Bedürfnisdispositionen und Wertorientierungen ohne weiteres in Einklang. Zweitens nimmt die Kantische Ethik ebenso wenig Rücksicht auf das Problem der Voraussehbarkeit komplexer Handlungsfolgen, die den Aktoren gegebenenfalls zugerechnet werden. In unübersichtlichen Situationen haben gute Absichten oft schlimme Konsequenzen. Kant überfordert nicht nur die Motivation, sondern auch die kognitiven Fähigkeiten des Einzelnen. Schließlich besteht das Problem der Anwendung allgemeiner Normen auf konkrete Fälle, das sich vor allem dann verschärft, wenn verschiedene Normen, die gleichermaßen angemessen zu sein scheinen, miteinander kollidieren.

Hegels Argumente lassen sich so verstehen, dass die abstrakte Moral vom Einzelnen einen zu hohen motivationalen und kognitiven Aufwand fordert. Diese Defizite verlangen nach einer Entlastung auf institutioneller Ebene. Was der subjektive Geist nicht leisten kann, muss durch den objektiven Geist kompensiert werden. Dieser ist in intelligenten »Gesetzen und Einrichtungen« verkörpert, »wodurch das Sittliche einen festen Inhalt hat«. Dieser objektiv gewordenen Sittlichkeit schreibt Hegel »ein... über das subjektive Meinen und Belieben erhabenes Bestehen« zu. (§ 144) In den großen gesellschaftlichen und staatlichen Institutionen erkennt er eine existierende, über die begrenzten Horizonte des subjektiven Geistes hinausreichende Vernunft. Sie koordinieren nämlich Ideen mit Interessen und Funktionen. Sie stimmen die rechtfertigenden Ideen der sittlichen Mächte einerseits mit den Interessenlagen der Mitglieder, andererseits mit den funktionalen Imperativen einer ausdifferenzierten Gesellschaft ab. Diese spannungsgeladene Integration erklärt, warum »das objektive Sittliche, das an die Stelle des abstrakten Guten tritt«, den guten Willen und die Einsichtsfähigkeit des überforderten Einzelnen durch klar vorgezeichnete konkrete Pflichten entlastet: »Was der Mensch tun müsse, welches die Pflichten sind, die er zu erfüllen hat, um tugendhaft zu sein, ist in einem sittlichen Gemeinwesen leicht zu sagen – es ist nichts anderes von ihm zu tun, als was ihm in seinen Verhältnissen vorgezeichnet, ausgesprochen und bekannt ist.« (§ 150)

Schon Hegel beschreibt die Institutionen, in denen sich der »Geist eines Volkes« objektiviert, auf ähnliche Weise wie später Gehlen. Als »zweite Natur« (§ 251) dürfen sie »nicht als ein Gemachtes angesehen werden« (§ 274), vielmehr als »das Göttliche und Beharrende«, das sich gegenüber den Zwecken und Absichten der Subjekte verselbständigt hat. Ferner sind Institutionen, die allgemeine Interessen verkörpern, auf öffentliche Repräsentanz angewiesen. Nicht einmal für die Ständeversammlung lässt Hegel den üblichen Begriff von Repräsentation als Volksvertretung gelten, vielmehr rekurriert er auch hier auf das Verhältnis der symbolischen Vergegenwärtigung des Wesens in der Erscheinung: »Das Repräsentieren hat nicht mehr die Bedeutung, dass einer an der Stelle des anderen sei, sondern das Interesse selbst ist in seinem Repräsentanten wirklich gegenwärtig.« (§ 311) Schließlich beansprucht die substantielle Sittlichkeit der Institutionen gegenüber den bloßen Ansichten der einzelnen moralischen Person überlegene Autorität. Die verkehrte Moral eines verblendeten Subjekts, das unter Berufung auf seinen »bloß für sich seienden Willen« das objektiv bestehende Gute bekämpft, ist die schlimmste Form der Hypokrisie.

Anders als Gehlen beharrt Hegel freilich auf der Bedingung, dass das selbstbewusste Subjekt nichts anzuerkennen braucht, was es nicht aus Einsicht als berechtigt akzeptieren kann. Der moderne Staat hat »die ungeheure Stärke und Tiefe, das Prinzip der Subjektivität sich zum selbstständigen Extreme der persönlichen Besonderheit vollenden zu lassen und es zugleich in die substantielle Einheit zurückzuführen.« (§ 260) Deshalb ordnet Hegel den subjektiven Geist der objektiven Sittlichkeit nur mit dem Vorbehalt unter, dass die Institutionen – nach Maßgabe der Verwirklichung gleicher Freiheiten für jeden – eine vernünftige Gestalt annehmen. Das Urteil darüber, ob und wieweit die bestehenden Institutionen vernünftig sind, darf allerdings nicht den handelnden Bürgern selbst überlassen werden. Dieses Urteil muss vielmehr der spekulativen Betrachtung des Philosophen vorbehalten bleiben. Wieweit die Institutionen der bürgerlichen Gesellschaft und des Staates ihrem Begriffe entsprechen, kann sich nämlich nur dem Geist offenbaren, der den Standpunkt des absoluten Wissens eingenommen hat. Dieser ist jenseits der Sphäre des objektiven Geistes angesiedelt. So kann das Besserwissen des Philosophen keine praktischen Folgen haben. Dessen retrospektive Einsicht kommt für's Handeln zu spät.

Soweit Hegel. Aber was wird aus dem objektiv gewordenen »Guten«, wenn sich die Philosophie nicht mehr zutraut, für die Vernünftigkeit des Wirklichen zu plädieren – oder wenigsten dafür, dass das Wirkliche vernünftig *wird*? Was wird aus Hegels Institutionalismus nach Hegel, was aus einer Sittlichkeit, die zwar nicht ihre Substantialität, aber ihren Vernunftbezug einbüßt? Den

»Geist« der Institutionen, den Geist der römischen Tradition, der mittelalterlichen Klöster, der höfischen Literatur, des Wohlfahrtsstaates oder des Parlamentarismus können wir gewiss beschreiben. Aber uns fehlen die Begriffe, um zu beurteilen, ob diese Gestalten des Geistes vernünftig sind. Wir wissen kaum noch, was die Frage nach einer über bloße Stabilität hinausgreifenden Vernünftigkeit von Institutionen heißen soll. Der Faden des objektiven Idealismus ist im Laufe des 19. Jahrhunderts abgerissen. Das zugespitzte Kontingenzbewusstsein der historischen Geisteswissenschaften und das darwinistische Zufallsprinzip, das die natürliche Evolution beherrscht, haben die spekulative Vernunft aus Natur und Geschichte vertrieben. Gleichwohl haben die Begriffsprägungen des objektiven Geistes, der Sittlichkeit, der Institution das Hegelsche System überlebt. Nachdem das einigende Band der Vernunft zerrissen ist, ist die Konzeption der Sittlichkeit in jene Elemente zerfallen, aus denen Hegel sie einst aufgebaut hatte: in Sprache, Arbeit und Interaktion.

In Auseinandersetzung mit dem mentalistischen Gegensatz von Geist und Körper, Subjekt und Objekt hatte Hegel schon während der Jenaer Periode *dritte* Kategorien eingeführt, die sich dadurch auszeichnen, dass sie der Aufspaltung des objektiven Geistes in Inneres und Äußeres zuvorkommen: im Zeichensubstrat der *Sprache* drücken sich immaterielle Bedeutungen aus, in der expressiven Geste des *Leibes* die psychische Regung, in der Bewegung des arbeitenden Körpers die intelligente Absicht des *Handelnden*, in der interpersonalen Beziehung zwischen Aktoren das Selbstbewusstsein der Person, in Verhaltensweisen, Institutionen und Sitten der *Geist eines Volkes*: »Der Geist eines Volkes muss sich ewig zum *Werke* werden«.[1] Die Konzeption der Sittlichkeit verdankt sich der Einsicht in den konstruktiven und zugleich gesellschaftlichen Charakter des menschlichen Geistes, der nichts bloß Subjektives ist, weil er nur in den symbolisch erzeugten Objektivationen einer zweiten Natur Bestand haben kann. Diese anticartesianische Grundeinsicht Hegels überlebt in der philosophischen Anthropologie nicht weniger als in Pragmatismus und Historismus. Der menschliche Geist begegnet sich selbst nur indirekt, über ein symbolisch vermitteltes Verhältnis zur Welt; er existiert nicht »im Kopf«, sondern im Ensemble öf-

---

1 G. W. F. Hegel, *Jenaer Systementwürfe I*, Frgm. 22, Hamburg 1986, S. 224.

fentlich zugänglicher, intersubjektiv verständlicher symbolischer Äußerungen und Praktiken.

Die philosophische Anthropologie hat sich diese Grundeinsicht in den 20er und 30er Jahren unseres Jahrhunderts auf ihre Weise, nämlich unter der nicht-idealistischen, nach-Hegelschen Prämisse zueigen gemacht, dass Natur und Naturgeschichte (auch in einem ontologischen Sinne) älter sind als der Mensch. Ernst Cassirer, Helmut Plessner und Arnold Gehlen möchten die symbolische Konstruktion einer zweiten Natur mit dem Scheler'schen Blick auf die Ausgangsbedingungen eines organischen Mängelwesens erklären, das sich von der Bindung an artspezifische Umwelten gelöst hat und durch »Weltoffenheit« auszeichnet. Im Unterschied zu Max Scheler versagen sie sich freilich jeden Rückgriff auf das »Prinzip« eines neinsagenden Geistes, der von metaphysischen Höhen wie ein Blitz ins Leben der Tiere einschlägt, um die organische Defizite des Menschen durch intellektuelle Anschauung und einen begrifflich-objektivierenden Zugang zur Welt der Tatsachen zu kompensieren. Cassirer, Plessner und Gehlen konzentrieren sich vielmehr auf die symbolischen Medien eines zugleich konstruktiven und gebrochenen, aber zunehmend komplexer vermittelten Verhältnisses des erkennenden und handelnden Subjekts zur Welt und zu sich selbst. Cassirer untersucht die symbolischen Formen der Welterschließung, Plessner das leibgebunden expressive Verhalten und Gehlen sowohl den instrumentellen wie den rituellen Umgang mit einer riskanten Welt.

Eine Gegenüberstellung der Theorien von Cassirer und Gehlen kann uns zeigen, dass mit der Art und Weise, wie wir symbolischen Ausdruck und rituelles Handeln begreifen, auch über die weitergehende Frage entscheiden, ob und gegebenenfalls welche Beziehung zwischen Institutionalität und Symbolisierung einerseits, Rationalität andererseits besteht. Die Frage ist ja, wie die Repräsentationsformen und -praktiken zeitgenössischer Institutionen die Gemüter affizieren: ob die symbolischen Inszenierungen, um es auf den Punkt zu bringen, mit ihren normativen Fiktionen Verbindlichkeiten *erzeugen* oder ob sie anderweitig begründete normative Geltungsansprüche nur *bekräftigen*, also dazu beitragen, dass rational gewonnene Einsichten in den Motiven und Gesinnungen der Beteiligten Wurzeln schlagen. Bleiben symbolische Praktiken auch nach der Aufklärung die Quelle schlechthin nicht-rationalisierbarer Wertbindungen, oder verleihen sie einer normativen Rationalität, die wesentlich diskursiver Natur, also anderer Herkunft ist, eine Aura und breitenwirksame Ausstrahlung? Gehlen verfolgt die eine, Cassirer die andere Alternative.

III.

Wie Scheler und die philosophische Anthropologie insgesamt arbeitet Cassirer die »Sonderstellung« des Menschen, also das Eigentümliche seiner soziokulturellen Lebensformen, im Vergleich mit animalischen Lebensformen heraus. Auch er bezieht sich auf das von Johannes v. Uexküll eingeführte biologisch-verhaltenswissenschaftliche Modell artspezifischer Umwelten, in die der tierische Organismus jeweils mit seinen Wahrnehmungen und den instinktiv geregelten, auf hochselektive Reize anspringenden Bewegungen eingepasst ist. Gegenüber diesem isomorphen Verhältnis von Organismus und Umwelt zeichnet sich der Mensch durch ein indirektes Verhältnis zur Welt aus, weil zwischen Wahrnehmungssystem und Bewegungsapparat das Bindeglied symbolischer Formen tritt: »Der Mensch lebt in einem symbolischen und nicht mehr in einem bloß natürlichen Universum. Sprache, Mythos, Kunst und Religion sind Teile dieses Universums. Sie sind die bunten Fäden, die das Symbolnetz weben... Der Mensch hat nicht mehr wie das Tier einen unmittelbaren Bezug zur Wirklichkeit... Die (gleichsam) unberührte Wirklichkeit scheint sich ihm in dem Maße, wie das (symbolisch vermittelte) Denken und Handeln des Menschen reifer wird, zu entziehen... Er lebt so sehr in sprachlichen Formen, in Kunstwerken, in mythischen Symbolen oder religiösen Riten, dass er nichts erfahren oder erblicken kann – außer durch Zwischenschaltung dieser künstlichen Medien.«[2]

Der Kontrast zwischen der Weltoffenheit des Menschen und der Umweltgebundenheit der Tieren, den Scheler in der objektivierenden Einstellung gegenüber Sachverhalten begründet sieht, wird von Cassirer anders akzentuiert. Für den menschlichen Beobachter bilden die artspezifischen Umwelten gewiss nur wahr-

2 E. Cassirer, *Was ist der Mensch*, Stuttgart 1960, S. 39.

nehmungsrelative Ausschnitte aus dem von ihm überblickten Universum; aber was sich ihm als die objektive Welt darstellt, enthüllt sich wiederum als eine symbolische, von der Sprachverwendung des Beobachters selbst abhängige Konstruktion. Der Mensch findet sich in symbolischen Welten vor, die eine geringere Selektivität, aber in gewisser Weise auch eine größere Fallibilität haben als tierische Umwelten. Die symbolischen Welten sind nämlich nicht durch objektive Entsprechungen zwischen organischer Ausstattung und Umwelteigenschaften determiniert, sie ergeben sich aus der konstruktiven Verarbeitung von Überraschungen und Enttäuschungen.

Cassirer nimmt eine semiotische Transformation der Kantischen Erkenntnistheorie vor und überträgt die Spontaneität der Welterzeugung vom transzendentalen Subjekt auf die verschiedenen »Sprachen« der Lebenswelt, des Mythos, der Kunst, der Religion, der Wissenschaft usw. Die verschiedenen symbolischen »Welten«, in denen wir gleichzeitig leben, strukturieren ebenso viele Ansichten von der Welt wie Formen des praktischen Weltumgangs – Riten, Alltagspraktiken, Künste, Kulte, Verfahren und Institutionen, handwerkliche, ästhetische, wissenschaftliche Techniken usw. In diesem sehr weiten Begriff von symbolischer Form scheint die Differenz zu verschwinden, die in unserem Zusammenhang interessiert. Auf der einen Seite stehen die sprachlichen, propositional ausdifferenzierten und insofern rationalen Darstellungs- und Handlungsformen mit manifestem Bedeutungsgehalt, auf der anderen die nicht-diskursiven, vor- oder außersprachlichen, ritualisierten, bildhaft geprägten Stil- und Ausdrucksformen, deren performativer oder vorprädikativer Bedeutungsgehalt auf eine Explikation im sprachlichen Medium sozusagen noch wartet. Cassirer sieht beide Aspekte im Vorgang der Symbolisierung selbst verklammert.[3]

Als Mitglied des Warburg-Kreises hat Cassirer anhand der Genese von Götternamen ursprüngliche Akte der Symbolisierung untersucht, die flüchtige Sinneseindrücke in semantischen Sinn derart transformieren, dass die Betroffenen ihre Affektionen im Gedächtnis abrufbar speichern und dadurch in die Hand bekommen können. Solche Akte der Symbolisierung stiften mit iden-

---

3 Zum folgenden vgl. J. Habermas, »Die befreiende Kraft der symbolischen Formgebung«, in: ders., *Vom sinnlichen Eindruck zum symbolischen Ausdruck*, Frankfurt a. M. 1997, S. 9-40.

tisch bleibenden Bedeutungen ein Medium für Gedanken, die den Erlebnisstrom transzendieren. Cassirer begreift die symbolische Verdichtung als Antwort auf die Ambivalenz erregender und prägnanter Erfahrungen. Erfahrungen von dramatischer Aufdringlichkeit – der Hügel, der einem Verfolgten das rettende Versteck bietet, das Wasser der Oase, das den Verdurstenden erlöst, der Blitz, das wilde Tier, überhaupt Situationen, die zugleich abstoßen und anziehen – können sich zum mythischen oder kultischen Bild verdichten, können semantisiert, unter göttlichem Namen fixiert, wieder aufgerufen, dadurch gebannt und beherrschbar gemacht werden. Durch die Transformation des sinnlichen Eindrucks in einen symbolischen Ausdruck wird die Affektspannung zugleich abgeleitet und stabilisiert. Aber das Subjekt bliebe in seiner Bildwelt gefangen, wenn sich der Symbolisierungsvorgang in der Semantisierung einzelner prägnanter Erfahrungen erschöpfte.

Der *bannenden* Tendenz zur gestalthaften Gerinnung isolierter Eindrücke im symbolischen Bild läuft die *begriffsbildende* Tendenz zu Verallgemeinerung und Unterscheidung entgegen. Symbolische »Welten« wie die des Mythos oder der Alltagskommunikation verdanken sich dem Zusammenspiel gegenstrebiger Prozesse. Sie entspringen *gleichzeitig* der Produktion einer bildhaften Sinnfülle wie der logischen Erschließung eines zusammenhängenden, kategorial gegliederten Erfahrungsbereichs. Das mythische Bild ist Statthalter »der dumpfen Fülle des Seins«, die aber in Aussagen zu einer »sprachlich fassbaren Gliederung« entbunden wird. Im Vorgang der Symbolisierung sind zwei sinnschöpferische Prozesse verschränkt: die eine tendiert zum *Ausdruck*, die andere zum *Begriff*. In den verschiedenen symbolischen Formen kommen die Tendenzen keineswegs gleichgewichtig zum Zuge. Wo die bannende Tendenz den sinnlichen Eindruck zum Bild fixiert, behält – wie im Mythos – die Ausdrucksfunktion die Oberhand; wo sich die begriffsbildende Tendenz zur gliedernden Abstraktion sich durchsetzt, herrscht – wie in der Wissenschaft – die Aussagefunktion; wo sich beide Tendenzen ausgleichen, tritt die Darstellungsfunktion in den Vordergrund – wie im Alltag oder, auf andere Weise, in der Kunst.

Diese Wahlverwandtschaften legen es nahe, die Symbolfunktionen von sinnlichem »Ausdruck«, anschaulicher »Darstellung« und reiner »Aussagebedeutung« auf einer Skala fortschreitender

Dekontextualisierung und Objektivierung anzuordnen. Dieser Zug zur Abstraktion zeigt sich auch innerhalb ein und derselben symbolischen Welt. Sogar die mythische Denkform kehrt sich, auf der Stufe der bilderfeindlichen monotheistischen Religionen, gegen ihr eigenes Prinzip der bildhaften Verdichtung. Andererseits können sich auch die Kultpraxis und die Gebetssprache dieser Hochreligionen niemals ganz von der mythischen Grundlage lösen, sonst würden sie die ihnen eigentümliche symbolische Form sprengen und damit ihre sakrale Qualität einbüßen. Weil nun keine symbolische Form ihr Eigenrecht zugunsten höherer symbolischer Formen verliert, leben wir gleichursprünglich in verschiedenen symbolischen Welten. Zugleich besteht jedoch zwischen den symbolischen Welten, wie auch innerhalb jeder einzelnen von ihnen, ein Komplexitätsgefälle, mit dem zugleich die Distanz, die Freiheit und die Reflexivität der erkennenden und handelnden Subjekte selbst variiert.

In diesem Sinne wohnt der symbolischen Formgebung als solcher ein normativer Gehalt inne. Indem der Mensch die auf ihn einstürmenden Naturgewalten durch Symbole bezwingt, gewinnt er Distanz vom unmittelbaren Druck der Natur. Für diese Befreiung zahlt er zwar mit der selbst geschaffenen Abhängigkeit von einer semantisierten Natur, die in der verzaubernden Kraft mythischer Bilder wiederkehrt. Aber der Bruch mit der ersten Natur setzt sich innerhalb dieser zweiten, symbolisch erzeugten Natur fort, und zwar mit der begrifflichen Tendenz zu Aufbau und kategorialer Gliederung symbolischer *Welten*. Im Laufe des Zivilisationsprozesses spinnt sich der Mensch in ein immer komplexeres Gewebe von symbolischen Vermittlungen ein und befreit sich dadurch von den Kontingenzen einer Natur, mit der er auf immer indirekteren Wegen in Kontakt tritt. Diese Dynamik des Zivilisationsprozesses ist zugleich eine der Zivilisierung: »Als der Grundzug allen menschlichen Daseins erscheint es, dass der Mensch in der Fülle der äußeren Eindrücke nicht einfach aufgeht, sondern dass er diese Fülle bändigt, indem er ihr eine bestimmte Form aufprägt, die letzten Endes aus ihm selbst, aus dem denkenden, fühlenden, wollenden Subjekt hervorgeht.«[4] Das Symbole verwendende Tier findet sich in Bildungsprozesse verstrickt, de-

4 E. Cassirer, *Naturalistische und humanistische Begründung der Kulturphilosophie*, Göteborg 1939, S. 16.

nen mit der fortschreitenden symbolischen Vermittlung seiner Lebensvollzüge der Kompass wachsender subjektiver und schließlich politischer Freiheiten eingesetzt ist. Ein Kompass zeigt freilich nur die Richtung an und garantiert nicht die Wahl des richtigen oder die Fortsetzung des eingeschlagenen Weges.

Cassirer hat das spröde humanistische Pathos der Kantischen Vernunftmoral nie verleugnet. Eine philosophische Ethik hat er freilich nicht geschrieben, weil er in den Prozessen der Symbolisierung selbst den befreienden und zivilisierenden Sinn eines indirekten Weltumgangs angelegt sah. Mit der Einheit der symbolischen Formgebung in der Mannigfaltigkeit der symbolischen Ausdrucksformen stellt er ein Kontinuum zwischen bildhaftem Ausdruck und Begriff her und sichert so jeder Gestalt des Geistes ihre eigene Rationalität. Er spaltet Rationalität und Normativität nicht auf, behält keineswegs die Rationalität der sprachlichen Kommunikation, dem zweckrationale Handeln und dem wissenschaftlichen Diskurs vor, um die Quelle normativer Geltung der mythischen Erzählung, der rituellen Praxis oder der Kunst zu überlassen. Zwischen der Überzeugungskraft diskursiv begründeter Normen und der Bindungskraft ritueller Verhaltensformen besteht kein Gegensatz, sondern eine komplementäre Beziehung.

Als Beispiel kann ein Auftritt von Cassirer selbst dienen; ich beziehe mich auf eine Rede, die er als einer der wenigen prominenten Verteidiger der Weimarer Republik am 11. August 1928 zum zehnjährigen Bestehen der Verfassung gehalten hat. Die Argumente, die er damals vortrug, bekamen im Rahmen der von der Freien Hansestadt Hamburg ausgerichteten »Verfassungsfeier« offensichtlich einen anderen Stellenwert, als sie im Rahmen einer akademischen Lehrveranstaltung zuvor besessen hatten. Waren sie deshalb nur der rhetorische Ausdruck der zeremoniellen Selbstdarstellung einer öffentlichen Institution? Der institutionelle Rahmen der Hamburger Bürgerschaft und die staatliche Autorität des Veranstalters konnten den Argumenten des Redners größere öffentliche Aufmerksamkeit und ein gewisses politisches Gewicht verschaffen. Aber ist der Inhalt der Rede dadurch selbst zeremonialisiert oder zum Ausdruck einer »idée directrice« umfunktioniert worden? Wenn sie eine rhetorische Wirkung erzielen sollten, mussten die Argumente schon für sich selber sprechen. Allein mit seinen Argumenten hat nämlich Cassirer damals versucht, ein vermutlich nationalkonservatives, jedenfalls antiwestlich eingestimmtes Publikum für die Weimarer Verhältnisse einzunehmen und davon zu überzeugen, »dass die Idee der republikanischen Verfassung im Ganzen der deutschen Geistesgeschichte keineswegs ein Fremdling, geschweige denn ein äußerer Eindringling ist.«[5]

Selbst in Zeiten und unter Umständen, da republikanische Institutionen gefestigt sind, bleiben solche Zeremonien der Selbstbestätigung – denken Sie etwa an die Feierlichkeiten zum Bicentennial der amerikanischen Verfassung 1976 in Philadelphia – darauf angewiesen, an die guten Gründe zu erinnern, die einst eine verfassungsgebende Versammlung dazu bewogen haben, ein politisches Gemeinwesen in der Form gleicher Bürgerrechte für alle zu konstituieren. Auch für die Nachgeborenen, die sich verpflichtet fühlen, am Projekt der Verwirklichung der einstweilen selektiv verwirklichten Rechte festzuhalten, muss die notwendige affektive Bindung, wenn sie nicht ganz verkümmern soll, einen rationalen Kern haben. In diesen für moderne Lebensverhältnisse signifikanten Fällen ist der normative Geltungsanspruch der Institution so sehr mit diskursiven Begründungen verknüpft, dass eine Zeremonie eher der anschaulichen Inszenierung von Gründen dient als umgekehrt der Vortrag von Gründen der Selbstinszenierung einer öffentlichen Institution.

IV.

Das sieht Arnold Gehlen anders. Er kann in dem eigentümlich unbedingten Charakter der Sollgeltung verpflichtender Normen keine Spur von Vernunft entdecken, sondern einzig das Stabilitätsversprechen der symbolischen Gewalt von Institutionen und von gewalthabenden Ideen. Diese können ihren Adressaten nur so lange Pflichten auferlegen, wie sie der Kritik, der öffentlichen Reflexion und der Begründung entzogen bleiben.

Diese Auffassung ergibt sich aus einer Anthropologie, die, wiederum ausgehend von der »Weltoffenheit« des Menschen, den Aufbau kultureller Lebensformen als Kompensation der mangelnden Organanpassung einer, biologisch gesehen, nicht-festge-

5 E. Cassirer, *Die Idee der Republikanischen Verfassung*, Hamburg 1929, S. 31.

stellten und unfertigen Spezies begreift. Unter Hinweis auf G. H. Meads Mechanismus der Rollen- und Perspektivenübernahme betont auch Gehlen das indirekte Weltverhältnis des Menschen, der sich nur über die Beziehung zu einem Anderen, Objektiven, zu sich selbst verhalten kann. Aber anders als Cassirer, Mead oder Plessner wählt Gehlen als dritte, nicht-mentalistische, zwischen Körper und Geist neutrale Kategorie nicht die symbolische Vermittlung – sei es in der Form der Semantisierung von Sinneseindrücken, der symbolische Interaktion oder der leibgebundene Expression. An die Stelle der Symbolisierung tritt die Handlung. Der morphologisch unangepasste Mensch kann sich des hohen Risikos der umgebenden Natur, die ihn mit diffusen Reizen überflutet, nur erwehren, indem er die gefährlichen Kontingenzen in Herausforderungen für ein intelligentes, am Erfolg kontrolliertes Handeln umarbeitet und eine auf die Lösung solcher Handlungsprobleme zugeschnittene objektive Welt wahrnehmbarer und manipulierbarer Dinge und Ereignisse aufbaut.

Entlastung durch instrumentelles Handeln ist der Gedanke, der Gehlens Anthropologie mit John Deweys Pragmatismus verbindet. Aber anders als Dewey rechnet Gehlen nicht nur mit den Risiken einer überraschenden äußeren Natur, sondern vor allem mit den Risiken einer unsteten *inneren* Natur. Die Entbindung der menschlichen Motorik von der Steuerung durch Instinkte hat ein entdifferenziertes und verschiebbares, chronisch überschießendes Antriebspotential zurückgelassen. Die Plastizität der Antriebe und die Variabilität erlernbarer Bewegungen sind gewiss funktional für phantasiegeleitetes Probieren, neugieriges Experimentieren und Lernen. Aber die unspezifisch andrängenden Triebenergien bedrohen die Sachlichkeit des Handelns so, dass dieser Entlastungsmechanismus selbst vom »Antriebüberschuss« entlastet werden muss. Die zunehmende Komplexität und Versachlichung der Arbeit, des Werkzeuggebrauchs, der rationalen Naturbeherrschung erfordern Triebaufschub und Disziplinierung. Das ist erst recht für eine auf Dauer gestellte soziale Kooperation nötig, denn »angesichts der Weltoffenheit und Instinktentbindung des Menschen ist es durch nichts gewährleistet, dass ein gemeinsames Handeln überhaupt zustande kommt oder dass es ... nicht morgen wieder zerfällt.«[6]

6 A. Gehlen, *Urmensch und Spätkultur*, Bonn 1956, S. 178.

Alle bekannten Gesellschaften haben dieses Problem durch normative Verhaltensstabilisierung gelöst. Und die Frage der Entstehung von Normativität macht die Fortbildung des anthropologischen Ansatzes zu einer Institutionentheorie nötig. Es sind Institutionen, die »zweckloses, aber obligatorisches Handeln« möglich machen. Wenn starke Institutionen nicht in die Regelungslücke fehlender Instinktfestlegungen einspringen, gibt der Mensch dem Druck seiner vagierenden Antriebe nach und verfällt in den »Zustand chronischer Ichbewusstheit« und in den »Selbstgenuss der Subjektivität«. Bei dieser Dramatisierung steht Vicos »Barbarei der Reflexion« Pate. »Reflexion« soll nämlich heißen, dass sich der von Erfahrungen erster Hand abgekoppelte Vorstellungsraum mit Wunschphantasien vollsaugt und narzisstisch gegen die Forderungen realitätsgerechten Verhaltens abschließt. Diese tief sitzende Tendenz zur »Entartung« kann nur durch normativ verpflichtende Handlungen blockiert werden.

Gegen eine hypertrophe Subjektivität, die ein stabiles sittliches Verhalten nicht mehr gewährleistet, bietet Gehlen wie Hegel starke Institutionen auf. Aber er will das Phänomen, für das Hegel den Begriff des objektiven Geistes eingeführt hat – »die Verselbständigung, welche die Institutionen gegenüber dem Einzelnen gewinnen« – auf einem »realistischeren Niveau« erklären.[7] »Realistisch« soll heißen, dass wir die objektive Vernünftigkeit der Institutionen ohne Bezug zur subjektiven Vernunft der Einzelnen bestimmen. Hegel hatte noch darauf beharrt, dass jede einzelne Person im Ganzen des sittlichen Lebens die gleiche Möglichkeit behalten muss, ihre Freiheit, Individualität und Selbstständigkeit auszubilden. Für ihn besteht die existierende Vernunft auch darin, dass der Staat die Vollendung »der persönlichen Besonderheit... zum selbständigen Extreme« möglich macht. Für Gehlen ist die individuelle Person nichts anderes als »eine Institution in einem Fall«.[8] Nach Hegel braucht sich niemand einer normativen Autorität zu beugen, wenn er sich nicht selber von den Gründen ihrer Legitimität überzeugen kann. Demgegenüber legt Gehlen zwischen die objektive Rationalität der Institutionen einerseits, die subjektive Irrationalität der Motive anderseits einen klaren Schnitt. Der Einzelne muss »mit Haut

7 Gehlen 1956, S. 9.
8 A. Gehlen, *Die Seele im technischen Zeitalter*, Hamburg 1957, S. 118.

und Haaren« in seinen Status hineingehen und »sich von den geltenden Institutionen konsumieren lassen, (denn) er findet außerhalb ihrer überhaupt keinen Punkt, wo er hintreten könnte.«[9]

Zur Erklärung der eigentümliches Normativität des »zwecklos obligatorischen Handelns« macht Gehlen mehrere Anläufe. Schon im erfolgskontrollierten, von Versuch und Irrtum geleiteten, kombinierenden und umkonstruierenden Handeln begegnet dem Aktor die äußere Autorität von »Sachgesetzlichkeiten«. Wer seine Motive in die Bearbeitung der Gegenstände hineinverlagert, wer sich mit seiner Aufgabe identifiziert und entsprechende Arbeitsgewohnheiten ausbildet, lässt sich vom »Stimmrecht der Sachen« dominieren. Die im »coping«, im intelligenten Zurechtkommen mit der Realität erfahrene kognitive Nötigung reicht freilich nicht aus, um die spezifische Bindungskraft sozialer Verhaltenserwartungen zu erklären. Was wir in sozialen Interaktionen tun »sollen«, hat eine andere Verpflichtungsqualität als die stumme Forderung der Natur, der wir uns im instrumentellen Handeln beugen »müssen«.

Im nächsten Schritt rekurriert Gehlen deshalb auf die funktionale Verselbständigung von Verhaltensgewohnheiten gegenüber den Motiven, aus denen sie ursprünglich entstanden sind. Die ungenaue Formel der »Trennung von Motiv und Zweck« bezieht sich auf Verhaltensmuster, die sich aufgrund einer nicht-intendierten Zweckmäßigkeit stabilisieren. Sie schlagen in »eine selbstzweckhafte Eigengesetzlichkeit« um. Auf der Linie dieses Gedankens einer Entkoppelung von Organisation und Mitgliedermotivation hat Luhmann eine Systemtheorie entwickelt, die Personen ganz in die Umwelt sozialer Systeme abschiebt und damit das Problem der Entstehung von Normativität gegenstandslos macht. An dieser Konsequenz wird offenbar, dass sich die Sollqualität verpflichtender Handlungsnormen mit Bezug auf die funktionale Rationalität von Einrichtungen oder Organisationen ebenso wenig erklären lässt wie aus der Rationalität des erfolgsorientierten Handelns einzelner Aktoren.

In Ermangelung eines anderen, umfassenderen Begriffs von Rationalität kann sich Gehlen die imperativische Kraft des instinktanalog funktionierenden Sollens nur als eine irrationale, die eigene Irrationalität vor sich verbergende Bindung vorstellen.

9 Gehlen 1956, S. 233.

Um dieses Phänomen zu erklären, muss Gehlen schließlich seinen anthropologischen Ansatz um einen zweiten Handlungstyp, den des rituellen oder »darstellenden Verhaltens« erweitern. Damit gelangen nämlich die Symbole und Praktiken in den Blick, von denen eine solche bannende Kraft auszugehen scheint – z. B. die Tierbilder der jungpaläolithischen Höhlenmalerei und die zugehörigen rituellen Praktiken. Auf ähnliche Weise wie Cassirer drei Jahrzehnte zuvor erklärt Gehlen die symbolische Darstellung und rituelle Nachahmung von Szenen der Großwildjagd als affektstabilisierende Antwort auf ambivalente Gefühlsstöße, die durch riskante Eindrücke und Erfahrungen ausgelöst werden. Die symbolische Nachahmung der Eindrücke im Bild und der rituelle Nachvollzug der Erfahrungen in der eigenen rhythmischen Bewegung laden den kultischen Gegenstand mit der zugleich faszinierenden und einschüchternden Autorität eines »Eigenwerts« auf, der dem Aktor dann gleichsam von außen imperativisch entgegentritt: »Vom Sosein der Dinge aus handeln heißt, sie antworten lassen... Diese Außenwelt-Stabilisierung war die erste große Kulturtat der Menschheit.«[10] Mit dem rituellen Handeln treten wir »in den Umkreis normierten Verhaltens ohne Sachveränderung ein«.[11] Im Ritus wird unser Verhalten durch die symbolische Gewalt eines tabuisierten Gegenübers normiert, nicht mehr durch die Sache, die wir im Experiment zur lehrreichen Antwort nötigen.

Weil alle normative Verhaltensstabilisierung letztlich aus der Quelle symbolischer Nachahmung schöpft, kristallisieren sich auch die großen Institutionen um leitende Ideen, zu denen sich jene anfänglichen Kultbilder sublimiert haben. Diese »idées dicetrices« spielen keine kognitive Rolle, sondern mobilisieren, wenn sie einen repräsentativen Ausdruck finden, Affekte und Einstellungen. Sie behalten ihre Wirksamkeit nur solange, wie sie einer diskursiven Thematisierung entzogen bleiben und zerfallen gleichzeitig mit den Institutionen, in denen sie verkörpert sind.[12] Anders als Cassirer, der die Spannung von Ausdruck und Begriff im symbolischen Medium selbst angelegt sieht, schließt Gehlen die Möglichkeit einer Rationalisierung des naturwüchsigen rituell-

10 Gehlen 1956, S. 65.
11 Gehlen 1956, S. 91.
12 A. Gehlen, »Mensch und Institutionen«, in: ders., *Anthropologische und Sozialpsychologische Untersuchungen*, Hamburg 1986, S. 69-77, bes. S. 77.

darstellenden Kerns der Institutionen aus. Für Gehlen besteht die »gewaltige Überlegenheit der Darstellung über den Begriff« darin, dass das rituelle Handeln das imperativische »Sosein« ausgezeichneter Dinge auf Dauer stellt, während sich in Begriffen bloß flüchtige, jederzeit revidierbare Meinungen artikulieren.

Was ist das Problem? Gehlen hat den Typ des darstellenden Handelns eingeführt, um den sakralen Ursprung der Autorität von verpflichtenden Handlungsnormen aufzuklären. Das leuchtet unter seinen eigenen Prämissen ein. Aber diese Genese des Sollens erklärt nicht, warum alle Normgeltung an diesen Ursprung fixiert bleiben muss. Aus der Sicht einer immanent ansetzenden Kritik bildet nicht die Triebtheorie, also die Annahme des Luxurierens handlungsentkoppelter Bedürfnisse die Schranke, sondern die viel zu schmale Basis einer Handlungstheorie, die den Blick auf eine kulturelle Rationalisierung verstellt. Denn diese vollzieht sich über kommunikatives Handeln. Die kommunikative Verflüssigung der normativen Gehalte von Mythen und Riten, von symbolischen Ausdrucksformen und Praktiken bedeutet gewiss eine Umformung, aber nicht die Auflösung der Geltungsgrundlagen des »zwecklos obligatorischen Handelns«.[13]

Symbolische Darstellungs- und rituelle Ausdrucksformen treten auch in modernen Gesellschaften nicht nur in residualer Gestalt auf. Das erwähnte Beispiel des Berliner Mahnmalprojektes zeigt, dass sich das kulturelle Gedächtnis einer Nation von Staatsbürgern nicht allein im diskursiven Medium von Unterricht, literarischer Überlieferung, Museums- und Gedenkstättenpädagogik fortpflanzt; es verlangt offensichtlich auch nach symbolischer Darstellung und Ritualisierung. Andererseits werden die Formen und die Ideen, die einem solchen Vorhaben eine inspirierte Gestalt geben, vor ihrer Realisierung im Säurebad eines erbarmungslosen öffentlichen Diskurses auch noch des letzten Scheins von Naturwüchsigkeit entkleidet. Weder Hegels Sittlichkeit noch Gehlens Institution bieten dafür den richtigen Begriff.

13 J. Habermas, *Theorie des kommunikativen Handelns*, Frankfurt a. M. 1981, Bd. II, S. 69-179.

IV.
Europa im Übergang

Das Thema der Zukunft der Europäischen Union findet unter dem Druck der »Erweiterungskrise« verstärkt Aufmerksamkeit. Den ersten der beiden folgenden Vorträge habe ich im Februar 1999 an der Universität St. Gallen gehalten (veröffentlicht in: P. Ulrich, Th. Maak (Hg.), *Die Wirtschaft in der Gesellschaft,* Bern: Haupt, 2000, 151-172). Die von Joschka Fischer angestoßene, inzwischen von Chirac, Prodi, Rau, Schröder und Jospin aufgenommene Verfassungsdebatte hat mich dazu angeregt, das gleiche Thema auf Einladung des Senats der Stadt Hamburg und der Zeit-Stiftung am 26. Juni 2001 an der dortigen Universität erneut, und zwar mit einer unmittelbar politischen Zielsetzung zu behandeln. Dem lag ein (in DIE ZEIT vom 28. Juni gekürzt veröffentlichter) Text zugrunde, den ich zuvor in Paris, Rom, Madrid und England vorgetragen hatte.

6. Euroskepsis, Markteuropa oder Europa der (Welt-)Bürger

In der Einleitung zu einem Band über »Globale Dynamik und lokale Lebenswelten« heißt es: »Die alles beherrschende Frage ist heute, ob jenseits der Nationalstaaten auf supranationaler und globaler Ebene sowohl die ökologische als auch die soziale und kulturelle Sprengkraft des weltweiten Kapitalismus neu unter Kontrolle gebracht werden kann.«[1] Die Entdeckungs- und Steuerungsfunktion von Märkten ist unbestritten. Aber Märkte reagieren nur auf Botschaften, die in der Sprache von Preisen kodiert sind. Sie sind taub gegenüber externen Effekten, die sie in *anderen* Bereichen erzeugen. Das gibt Richard Münch, einem liberalen Soziologen, Grund, die Erschöpfung nicht-regenerierbarer natürlicher Ressourcen, eine massenhafte kulturelle Entfremdung und soziale Eruptionen für den Fall zu fürchten, dass es nicht gelingt, jene Märkte politisch einzuhegen, die den geschwächten und überforderten Nationalstaaten gleichsam davonlaufen. Er beobachtet eine »inflationäre Überziehung« der wirtschaftlichen Modernisierung, die die »deflationäre Abwärtsspirale« eines aggressiven Gruppenpartikularismus auch in den wohlhabenden Gesellschaften des Nordens hervorrufen wird.

Gewiss, die Forderung nach einer »ökologischen, sozialen und kulturellen *Wieder*einbettung des globalen Kapitalismus« ist euphemistisch. Die SIACS, wie die Staaten der fortgeschrittenen kapitalistischen Gesellschaften genannt werden, haben während der Nachkriegszeit die ökologischen Sprengsätze eher verschärft als entschärft; und sie haben die sozialen Sicherungssysteme mit Hilfe wohlfahrtsstaatlicher Bürokratien aufgebaut, die der Selbstbestimmung ihrer Klienten nicht gerade förderlich waren. Aber der Sozialstaat hat in Europa und anderen OECD-Gesellschaften während des dritten Viertels unseres Jahrhunderts die sozial unerwünschten Folgen eines hoch produktiven Wirtschaftssystems weitgehend ausgeglichen. Der Kapitalismus hat zum ersten Mal die Einlösung des republikanischen Versprechens der gleichbe-

---

1 R. Münch, *Globale Dynamik – lokale Lebenswelten*, Frankfurt a. M. 1998.

rechtigten Inklusion aller Bürger nicht behindert, sondern ermöglicht hat. Der demokratische Verfassungsstaat garantiert ja Gleichberechtigung auch im dem Sinne, dass alle die gleiche Chance haben sollen, von ihren Rechten Gebrauch zu machen. John Rawls, heute der einflussreichste der Theoretiker des Politischen Liberalismus, spricht in diesem Zusammenhang vom »fair value« gleichverteilter Rechte. Im Anblick der Obdachlosen, die sich unter unseren Augen schweigend vermehren, erinnert man sich an das Wort von Anatole France: es sollen nicht nur alle das gleiche Recht haben, »unter den Brücken zu schlafen«.

Wenn wir den Text unserer Verfassungen in diesem materiellen Sinn der Verwirklichung einer sozial gerechten Gesellschaft verstehen, gewinnt die Idee der Selbst*gesetzgebung*, wonach sich die Adressaten der Gesetze zugleich als deren Autoren verstehen sollen, die *politische Dimension* einer auf sich selbst *einwirkenden* Gesellschaft. Beim Aufbau des Sozialstaates haben sich im Europa der Nachkriegszeit Politiker aller Richtungen von diesem dynamischen Verständnis des demokratischen Prozesses leiten lassen. Der Erfolg dieses Projektes war wiederum eine Bestätigung des Konzepts der Selbsteinwirkung – einer mit politischen Mitteln auf sich einwirkenden Gesellschaft. Heute wird uns bewusst, dass diese Idee bisher nur im Rahmen des Nationalstaates verwirklicht worden ist. Wenn aber der Nationalstaat im veränderten Kontext von Weltwirtschaft und Weltgesellschaft an die Grenzen seiner Leistungsfähigkeit stößt, steht mit dieser Organisationsform beides auf dem Spiel – die politische Zähmung eines global entfesselten Kapitalismus wie auch das einzige Beispiel einer halbwegs funktionierenden Flächendemokratie. Lässt sich diese Form einer demokratischen Einwirkung moderner Gesellschaften auf sich selbst über nationale Grenzen hinaus erweitern?

Ich will diese Frage in drei Schritten untersuchen. Zunächst müssen wir uns darüber klar werden, wie Nationalstaat und Demokratie zusammenhängen und wodurch diese einzigartige Symbiose heute unter Druck gerät (I.). Im Lichte dieser Diagnose werde ich sodann vier politische Antworten auf die Herausforderungen der postnationalen Konstellation kurz beschreiben; sie bestimmen auch die Koordinaten, in denen sich heute die Diskussion über einen »Dritten Weg« abspielt (II.). Diese Debatte stellt schließlich die Weichen für eine offensive Stellungnahme zur Zukunft der Europäischen Union. Wenn die insgesamt privilegierten Bürger unserer Region dabei gleichzeitig die Perspektive anderer Länder und Kontinente berücksichtigen wollen, müssen sie die föderative Vertiefung der Europäischen Union in der weltbürgerlichen Absicht betreiben, die notwendigen Voraussetzungen für eine Weltinnenpolitik zu schaffen (III.).

I. Herausforderungen für Nationalstaat und Demokratie

1. Die Entwicklungstrends, die heute unter dem Stichwort »Globalisierung« die Aufmerksamkeit auf sich ziehen, verändern eine historische Konstellation, die sich dadurch ausgezeichnet hat, dass sich Staat, Gesellschaft und Wirtschaft gewissermaßen koextensiv innerhalb derselben nationalen Grenzen ausdehnen. Das *internationale* Wirtschaftssystem, in dem Staaten die Grenzen zwischen Binnenwirtschaften und Außenhandelsbeziehungen festlegen, verwandelt sich im Zuge der Globalisierung der Märkte in eine *transnationale* Wirtschaft. Die Kontroverse um die Zunahme des Volumens und die Verdichtung des grenzüberschreitenden Handels, vor allem mit Industriegütern und Dienstleistungen, betrifft ebenso wie die Diskussion über die Bedeutung des sprunghaften Anstiegs der Direktinvestitionen Stromgrößen innerhalb desselben Mediums, aber nicht die eigentlich relevante Verschiebung im Verhältnis zwischen den Medien des Marktes und der politischen Macht. Relevant sind in erster Linie die Beschleunigung der weltweiten Kapitalbewegungen und die imperative Bewertung nationaler Standorte durch die global vernetzten Finanzmärkte. Diese Tatsachen erklären, warum die staatlichen Aktoren heute nicht länger die Knoten bilden, die dem weltwirtschaftlichen Austausch die Struktur von zwischenstaatlichen oder internationalen Beziehungen verliehen haben.[2] Heute sind eher die Staaten in Märkte als die Volkswirtschaften in staatliche Grenzen eingebettet.

Natürlich charakterisiert der Zug zur Entgrenzung nicht nur die Ökonomie. Die soeben veröffentlichte Studie von David Held und Mitarbeitern über »Globale Transformationen«[3] enthält ne-

2 R. Cox, »Economic Globalization and the Limits to liberal Democracy«, in: A. McGrew (Ed.), *The Transformation of Democracy?*, London 1997, S. 49-72.
3 D. Held, A. McGrew, D. Goldblatt, J. Perraton, *Global Transformations*, Cambridge 1999; vgl. auch J. Held, A. McGrew (Eds.), *The Global Transformation Reader*, Cambridge 2000.

ben Kapiteln über Welthandel, Finanzmärkte und multinationale Korporationen (mit weltweiten Produktionsketten) auch Kapitel über Weltinnenpolitik, Friedenssicherung und organisierte Gewalt, über die anschwellenden Migrationsströme, über neue Medien und neue Kommunikationsnetze, über hybride Mischformen von Kulturen – über Identitätskonflikte im Gefolge der Diffusion, Überlagerung und Durchdringung kultureller Lebensformen. Diese auf ganzer Breite fortschreitende »Entgrenzung« von Ökonomie, Gesellschaft und Kultur berührt die Existenzvoraussetzungen eines Staatensystems, das auf territorialer Grundlage errichtet worden ist und das auf der politischen Bühne nach wie vor die wichtigsten kollektiven Aktoren stellt. Einschränkungen des Handlungsspielraums nationaler Regierungen gefährden gleichzeitig den Sozialstaat und damit das bisher einzige erfolgreiche Projekt eines Ausgleichs der sozial unerwünschten Folgen des Kapitalismus. Mit dieser Zielsetzung ist eine demokratische Einwirkung der Gesellschaft auf sich selbst bisher nur innerhalb des nationalstaatlichen Rahmens institutionalisiert worden. Wie erklärt sich diese Wahlverwandtschaft von Demokratie und Nationalstaat?

2. Damit assoziierte Bürger ihr Zusammenleben demokratisch regeln und mit politischen Mitteln auf gesellschaftliche Lebensbedingungen Einfluss nehmen können, müssen vier Voraussetzungen erfüllt sein:

– es muss einen politisch handlungsfähigen Apparat geben, mit dessen Hilfe kollektiv bindende Entscheidungen durchgesetzt werden können;

– es muss ein klar definiertes »Selbst« der politischen Selbstbestimmung und Selbsteinwirkung geben, dem kollektiv bindende Entscheidungen zugerechnet werden können;

– es muss eine Bürgerschaft geben, die für die gemeinwohlorientierte Teilnahme an der politischen Meinungs- und Willensbildung mobilisiert werden kann;

– es muss eine wirtschaftliche und soziale Umwelt geben, in der eine demokratisch programmierte Verwaltung legitimationswirksame Steuerungs- und Organisationsleistungen erbringen kann.

Das instrumentelle Erfordernis politischer Handlungsfähigkeit wird durch den *Verwaltungsstaat* erfüllt, der sich seit dem 17. Jahrhundert auf der Grundlage einer funktionalen Trennung von öffentlicher Gewalt und bürgerlicher Gesellschaft erst als

Steuerstaat und dann als Rechtsstaat etabliert hat. Das Identitätserfordernis einer Festlegung des kollektiven Subjekts möglicher Selbstbestimmung und Selbsteinwirkung wird durch den *souveränen Territorialstaat* des klassischen Völkerrechts erfüllt, der Staatsvolk und Herrschaftsordnung mit Bezug auf die Grenzen des militärisch kontrollierten Hoheitsgebiets fixiert. Das Partizipationserfordernis einer aktiven Mitgliedschaft wird vom *Nationalstaat* erfüllt, der seit der Wende zum 19. Jahrhundert über den kulturellen Symbolismus des Volkes und den republikanischen Status des Staatsbürgers eine abstrakte Form der Solidarität unter Fremden herstellt. Das Erfordernis der politischen Gestaltbarkeit gesellschaftlicher Lebensbedingungen wird schließlich in der zweiten Hälfte des 20. Jahrhunderts von einem *Sozialstaat* erfüllt, der unter Bedingungen raschen Wirtschaftswachstums einen annähernd fairen Wert gleicher Bürgerrechte gesichert hat.

Die Demokratie passt zu diesem modernen Gebilde eines mit effektiver Verwaltung ausgestatteten Territorial-, National- und Sozialstaates, weil ein Gemeinwesen in politisch-kultureller Hinsicht hinreichend integriert und in räumlicher, sozialer, wirtschaftlicher und militärischer Hinsicht hinreichend autonom, also von externen Einflüssen unabhängig sein muss, wenn die vereinigten Bürger in der Lage sein sollen, sich in den bekannten Formen des demokratischen Verfassungsstaates selbst zu regieren und ihre Gesellschaft politisch zu gestalten. In der nationalstaatlichen Demokratie war beides mehr oder weniger durch die Kongruenz von Staat, Gesellschaft und Wirtschaft gesichert. Aber die postnationale Konstellation beseitigt diese konstruktive Verzahnung von Politik und Rechtssystem mit Wirtschaftskreisläufen und nationalen Traditionen innerhalb der Grenzen des Territorialstaates. Die unter dem Stichwort »Globalisierung« beschriebenen Trends bedrohen nicht nur im Inneren eine vergleichsweise homogene Zusammensetzung der Bevölkerung, also die vorpolitische Grundlage der Integration der Staatsbürger durch Immigration und kulturelle Segmentierung. Einschneidender ist der Umstand, dass ein immer weiter in die Interdependenzen von Weltwirtschaft und Weltgesellschaft *verstrickter* Staat an Autonomie und Handlungsfähigkeit sowie an demokratischer Substanz einbüsst.[4]

4 L. Brock, »Die Grenzen der Demokratie: Selbstbestimmung im Kontext des globalen Strukturwandels«, in: B. Kohler-Koch (Hrg.), *Regieren in entgrenzten Räumen*, PVS, Sonderheft 29, 1998, S. 271-292.

3. Ich sehe von faktischen Beeinträchtigungen der formal weiter bestehenden Souveränität der Staaten ab[5] und beschränke mich auf drei Aspekte der Entmächtigung des Nationalstaates: auf den Verlust staatlicher Kontrollfähigkeiten, auf wachsende Legitimationsdefizite im Entscheidungsgang und auf die zunehmende Unfähigkeit, legitimationswirksame Steuerungs- und Organisationsleistungen zu erbringen.

(a) Der Verlust an Autonomie besagt unter anderem, dass der einzelne Staat seine Bürger nicht mehr aus eigenen Kraft hinreichend gegen die externen Effekte von Entscheidungen *anderer* Aktoren oder gegen die Kettenwirkungen von solchen Prozessen schützen kann, die außerhalb seiner Grenzen ihren Ursprung haben. Dabei handelt es sich zum einen um »spontane Grenzüberschreitungen« wie Umweltbelastungen, organisiertes Verbrechen, Sicherheitsrisiken der Großtechnik, Waffenhandel, Epidemien usw., zum anderen um die kalkulierten, aber hinzunehmenden Folgen von Politiken anderer Staaten, an deren Zustandekommen und Legitimation die Mitbetroffenen nicht beteiligt sind.

(b) Im Hinblick auf den demokratischen Bedarf an Legitimation entstehen immer dann Defizite, wenn sich der Kreis der an demokratischen Entscheidungen Beteiligten mit dem Kreis der von diesen Entscheidungen Betroffenen nicht deckt. Weniger offensichtlich, aber nachhaltiger wird die demokratische Legitimation auch dann beeinträchtigt, wenn es gelingt, den mit zunehmenden Interdependenzen wachsenden Koordinationsbedarf durch intergouvernementale Vereinbarungen zu decken. Die institutionelle Einbettung des Nationalstaates in ein Netzwerk transnationaler Vereinbarungen und Regime schafft zwar auf einigen Politikfeldern Äquivalente für die auf nationaler Ebene eingebüßten Kompetenzen.[6] Aber je zahlreicher und gewichtiger die Materien sind, die auf dem Wege zwischenstaatlicher Verhandlungen geregelt werden, umso mehr politische Entscheidungen werden einer demokratischen Meinungs- und Willensbildung entzogen, die ja nur in nationalen Arenen verankert ist. In der Europäischen Union ist der weitgehend bürokratische Entscheidungsprozess der Brüsseler Experten ein Beispiel für ein solches

5 D. Held, *Democracy and The Global Order*, London 1995, S. 99ff.
6 M. Zürn, »Gesellschaftliche Denationalisierung und Regieren in der OECD-Welt«, in: Kohler-Koch (1998), S. 91-120.

demokratisches Defizit, das durch die Verlagerung aus den nationalen Entscheidungsgremien in die zwischenstaatlichen, mit Regierungsvertretern besetzten Kommissionen entsteht.[7]

(c) Im Mittelpunkt der Diskussion steht aber die Einschränkung der Interventionskapazität, die der Nationalstaat bisher für eine legitimationswirksame Sozialpolitik genutzt hat. Mit dem Auseinanderdriften des territorial begrenzten Handlungsspielraums nationalstaatlicher Aktoren auf der einen, global entschränkten Märkten und beschleunigten Kapitalbewegungen auf der anderen Seite verschwindet das, was W. Streeck die »funktionale Vollständigkeit der nationalen Wirtschaft« nennt: »Funktionale Vollständigkeit darf nicht mit Autarkie gleichgesetzt werden... (Sie) erfordert nicht eine »vollständige« Produktpalette, sondern die verlässliche nationale Anwesenheit jener komplementären Faktoren – vor allem Kapital und Organisation –, auf die das von einer Gesellschaft hervorgebrachte Arbeitsangebot angewiesen ist, um produktionsfähig zu werden.«[8] Ein Kapital, das bei der Suche nach Investitionsmöglichkeiten und spekulativen Gewinnen sozusagen aus der nationalen Anwesenheitspflicht entlassen ist und frei vagabundiert, kann mit seinen Exitoptionen drohen, sobald eine Regierung mit Rücksicht auf Nachfragespielraum, soziale Standards oder Beschäftigungssicherung den natio-

---

7 W. Scharpf meint, dass die Ergebnisse von intergouvernementalen Verhandlungen aufgrund der Vetomöglichkeit jedes Beteiligten »eine eigene Legitimationsgrundlage in der Norm (hat), dass alle Beteiligten zustimmen müssen und dass keiner zustimmen wird, wenn er sich dabei per Saldo schlechter stellen würde als bei einem Scheitern der Verhandlungen. « W. Scharpf, Demokratie in der transnationalen Politik, in: U. Beck (Hg.), Politik der Globalisierung, Ffm. 1998, 237. Das Argument kann weder den abgeleiteten noch den reduzierten Charakter einer solchen Legitimation rechtfertigen, d. h. weder den Umstand, dass supranationale Vereinbarungen dem Legitimationsdruck der nationalen Arenen nicht in demselben Maße ausgesetzt sind wie innerstaatliche Entscheidungen, noch den Umstand, dass sich die nationalstaatlich institutionalisierte Willensbildung auch von intersubjektiv anerkannten Normen und Werten leiten lässt und nicht in reiner Kompromissbildung, d. h. im wahlrationalen Ausgleich der Interessen aufgeht. Ebenso wenig lässt sich freilich die deliberative Politik der Bürger und ihrer Repräsentanten auf den Sachverstand von Experten zurückführen. Vgl. die Rechtfertigung der »europäischen Komitologie« durch Chr. Joerges, J. Neyer, »Von intergouvernementalem Verhandeln zur deliberativen Politik«, in: Kohler-Koch (1998), S. 207-234.
8 W. Streeck (Hg.), *Internationale Wirtschaft, nationale Demokratie*, Frankfurt a. M. 1998, Einleitung, S. 19f.

nalen Standort – im internationalen Wettbewerb um die günstigsten Verwertungsbedingungen – zu stark belastet.

Unter Bedingungen der globalen Standortkonkurrenz sind
hohe Lohn- und Lohnnebenkosten ein Anreiz zur Rationalisierung. Massenentlassungen unterstreichen das wachsende Droh-
potential beweglicher Unternehmen gegenüber der geschwächten
Position ortsgebunden operierender Gewerkschaften. Gleichzeitig verlieren die nationalen Regierungen die Fähigkeit, die Steuerressourcen der einheimischen Wirtschaft auszuschöpfen, Wachs-
tum zu stimulieren und damit wesentliche Grundlagen ihrer
Legitimation zu sichern. Politiken der Nachfragesteuerung haben
externe Effekte, die sich auf den nationalen Wirtschaftskreislauf
(wie Anfang der 80er Jahre unter der ersten Regierung Mitterand)
kontraproduktiv auswirken, weil inzwischen die internationalen
Börsen die Bewertung nationaler Wirtschaftspolitiken übernommen haben. In vielen europäischen Ländern äußert sich die Ver-
drängung der Politik durch den Markt im Teufelskreis wachsender Arbeitslosigkeit, überbeanspruchter Sicherungssysteme und
schrumpfender Beiträge. Der Staat steht vor dem Dilemma, dass
steigende Steuern auf mobiles Eigentum und wachstumsstimulie-
rende Maßnahmen für die erschöpften öffentlichen Haushalte
umso nötiger werden, je weniger sie innerhalb nationaler Grenzen
noch möglich sind.

II. Koordinaten einer Diskussion

Auf diese Herausforderung gibt es zwei pauschale und zwei dif-
ferenziertere Antworten. Die Polarisierung zwischen den beiden
Lagern, die pauschal reagieren, also entweder (a) für oder (b) gegen Globalisierung und Entterritorialisierung eintreten, motiviert die Suche nach »Dritten Wegen« in einer (c) eher defensiven
oder (d) eher offensiven Variante.

(a) Die Parteinahme für die Globalisierung stützt sich auf eine
neoliberale Orthodoxie, die in den letzten Jahrzehnten den Wechsel zu angebotsorientierten Wirtschaftspolitiken angeleitet hat.
Eine einflussreichere *epistemic community* als die Chicago-Schule
hat es bislang nicht gegeben. Sie befürwortet die Unterordnung
des Staates unter Imperative einer weltweiten gesellschaftlichen
Integration über Märkte und empfiehlt einen *entrepreneurial*

state, der vom Projekt einer Entkommodifizierung der Arbeitskraft, überhaupt von der staatlichen Protektion lebensweltlicher Ressourcen Abschied nimmt. Der in das transnationale Wirtschaftssystem *eingeklinkte* Staat entlässt seine Bürger in die gesicherten negativen Freiheiten eines weltweiten Wettbewerbs und beschränkt sich im Wesentlichen auf die geschäftsmäßige Bereitstellung von Infrastrukturen, die den eigenen Standort unter Rentabilitätsgesichtspunkten attraktiv machen und unternehmerische Aktivitäten fördern. Auf die neoliberalen Modellannahmen und den ehrwürdigen Dogmenstreit über das Verhältnis von sozialer Gerechtigkeit und Markteffizienz kann ich hier nicht eingehen;[9] zwei Bedenken drängen sich aber auch unter den Prämissen dieser Theorie selbst auf.

Nehmen wir einmal an, dass sich eine vollständig liberalisierte Weltwirtschaft mit unbegrenzter Mobilität aller Produktionsfaktoren (einschließlich der Arbeitskraft) irgendwann auf das in Aussicht gestellte globale Gleichgewicht der Standorte und auf den Zielzustand einer symmetrischen Arbeitsteilung einspielen würde. Auch unter dieser Prämisse müsste für eine Übergangszeit, national und weltweit, nicht nur eine drastische Zunahme an sozialer Ungleichheit und die Fragmentierung der Gesellschaft, sondern auch eine Verrottung moralischer Maßstäbe und kultureller Infrastrukturen in Kauf genommen werden. In zeitlicher Hinsicht stellt sich daher die Frage, wie lange es dauern wird, bis das »Tal der Tränen« durchschritten ist, und welche Opfer bis dahin gefordert werden: Wie viele marginalisierte Schicksale werden bis dahin am Rande des Weges liegen bleiben, wie viel unwiederbringliche zivilisatorische Errungenschaften werden bis dahin der »schöpferischen Zerstörung« anheimfallen?

Eine ebenso beunruhigende Frage stellt sich auch im Hinblick auf die Zukunft der Demokratie. Denn die demokratischen Verfahren und Arrangements, die den vereinigten Staatsbürgern die Möglichkeit zu kollektiver Selbstbestimmung und zur politischen Einwirkung auf ihre gesellschaftlichen Lebensbedingungen geben, müssen in dem Maße leer laufen, wie der Nationalstaat Funktionen und Handlungsspielräume verliert, ohne dass dafür auf supranationaler Ebene Äquivalente entstehen. Wolfgang Streeck nennt das die »sinkende Kaufkraft von Stimmzetteln«

---

9 J. Habermas, *Die postnationale Konstellation*, Frankfurt a. M. 1998, S. 140ff.

und sieht »die Gefahr, dass die demokratische Führung zu der Fähigkeit verkommt, sich von illusionären Erwartungen an die Macht bringen zu lassen, und zugleich Vorkehrungen dafür trifft, dass man für ihre Nichterfüllung nicht zur Verantwortung gezogen werden kann.«[10]

(b) Als Reaktion auf die Aushöhlung von Nationalstaat und Demokratie bildet sich andererseits eine Koalition derjenigen, die sich gegen den sozialen Abstieg der tatsächlichen oder potentiellen Verlierer des Strukturwandels und gegen eine Entmächtigung des demokratischen Staates und seiner Bürger wehren. Aber der energische Wunsch zur Schließung der Schleusen lässt diese »Partei der Territorialität« (Charles Maier) am Ende auch gegen die egalitären und universalistischen Grundlagen der Demokratie selber zu Felde ziehen. Der protektionistische Affekt führt jedenfalls Wasser auf die Mühlen der ethnozentrischen Abwehr von Vielfalt, der xenophoben Abwehr des Anderen und der antimodernistischen Abwehr komplexer Lebensverhältnisse. Der Affekt richtet sich gegen alles Grenzüberschreitende – gegen Waffen – und Drogenhändler oder Maffiosi, die die innere Sicherheit gefährden, gegen die Informationsüberflutung und die amerikanischen Filme, die die heimische Kultur gefährden, oder gegen das fremde Kapital, die Arbeitsimmigranten und die Flüchtlinge, die den eigenen Lebensstandard gefährden.

Auch wenn wir den rationalen Kern dieser Abwehrreaktionen in Betracht ziehen, ist leicht zu sehen, warum der Nationalstaat seine alte Stärke nicht durch eine Politik des Einigelns zurückgewinnen kann. Die Liberalisierung der Weltwirtschaft, die nach dem Ende des Zweiten Weltkrieges eingesetzt und auf der Grundlage eines Systems fester Wechselkurse vorübergehend die Gestalt eines *embedded liberalism* angenommen hatte, hat sich seit dem Ende des Bretton-Wood-Systems stark beschleunigt. Eine zwangsläufige Entwicklung war das nicht. Die systemischen Zwänge, die inzwischen von den Imperativen eines mit der World-Trade-Organization fest verankerten Freihandelsregimes ausgehen, sind das Ergebnis von politischem Voluntarismus. Obwohl die USA die Gatt-Runden forciert haben, handelt es sich dabei nicht um einseitig imponierte, sondern um ausgehandelte und pfadabhängig kumulierte Entscheidungen, die das Unterlas-

---

10 Streeck (1998), S. 38.

sungshandeln vieler einzelner Regierungen aufeinander abgestimmt haben. Und weil die globalisierten Märkte auf dem Wege einer solchen negativen Integration vieler unabhängiger Aktoren entstanden sind, besteht keine Aussicht für das restaurative Vorhaben, das systemisch eingespielte Ergebnis einer *konzertierten* Entscheidung *einseitig* aufzukündigen, ohne Sanktionen erwarten zu müssen.

Die Pattsituation im Pro und Con zwischen den Parteien der Globalisierung und der Territorialität hat zur Suche nach einem »Dritten Weg« motiviert. Dieser Weg verzweigt sich. Die defensive Variante (c) geht davon aus, dass der weltweit entschränkte Kapitalismus nicht mehr gezähmt, aber national *abgefedert* werden kann, während die offensive Variante (d) auf die gestaltende Kraft einer Politik setzt, die den davongelaufenen Märkten auf supranationaler Ebene *nachwächst*.

(c) Nach der defensiven Variante ist die Unterordnung der Politik unter die Imperative einer marktintegrierten Weltgesellschaft nicht mehr rückgängig zu machen. Aber der Nationalstaat soll nicht nur eine reaktive Rolle im Hinblick auf die Verwertungsbedingungen des investiven Kapitals, sondern gleichzeitig eine aktive Rolle bei allen Versuchen spielen, die Gesellschaftsbürger zu qualifizieren und wettbewerbsfähig zu machen. Die neue Sozialpolitik ist nicht weniger universalistisch angelegt als die alte. Aber sie soll nicht in erster Linie vor Standardrisiken des Arbeitslebens schützen, sondern die Personen mit unternehmerischen Qualitäten von »Leistungsträgern« ausstatten, die für sich selber Sorge tragen. Die bekannte Maxime »Hilfe zur Selbsthilfe« erhält den ökonomistischen Sinn eines Fitnesstrainings, das alle instand setzen soll, persönliche Verantwortung zu übernehmen und Initiative zu entfalten, um sich kompetent am Markt behaupten zu können – und nicht als »Versager« staatliche Sozialhilfe in Anspruch nehmen zu müssen: »Social democrats have to shift the relationship between *risk* and *security* involved in the welfare state, to develop a society of ›responsible risk takers‹ in the spheres of governement, business enterprise and labor markets... Equality must contribute to diversity, not stand in its way.«[11]

Was »alte« Sozialisten an dieser Perspektive von »Neuer Mitte«

11 T. Giddens, *The Third Way*, London 1998, S. 100; vgl. auch J. Cohen and J. Rogers, »Can Egalitarianism survive Internationalization?«, in: Streeck (1998), S. 175-194.

oder »New Labour« irritiert, ist nicht nur die normative Chuzpe, sondern auch die fragliche empirische Voraussetzung, dass die Erwerbsarbeit, wenn auch nicht in Form des Normalarbeitsverhältnisses, nach wie vor als »Schlüsselgröße der gesellschaftlichen Integration« gilt.[12] Der säkulare Trend eines produktivitätssteigernden und arbeitssparenden technischen Fortschritts und die gleichzeitig steigende Nachfrage – insbesondere von Frauen – auf dem Arbeitsmarkt lassen die konträre Annahme vom »Ende der Vollbeschäftigungsgesellschaft« (Vobruba) nicht ganz abwegig erscheinen. Wenn man aber das politische Ziel der Vollbeschäftigung aufgibt, muss man entweder die öffentlichen Standards der Verteilungsgerechtigkeit einziehen oder Alternativen ins Auge fassen, die den nationalen Standort erheblich belasten: Projekte wie die Umverteilung des geschrumpften Volumens an Erwerbsarbeit oder die Beteiligung breiter Schichten am Kapitaleigentum oder die Entkoppelung eines über dem Sozialhilfeniveau liegenden Grundeinkommens vom Erwerbseinkommen lassen sich unter den gegebenen weltwirtschaftlichen Bedingungen kaum kostenneutral verwirklichen.

Normativ gesehen, schwenken die Protagonisten dieses »Dritten Weges« auf die Linie eines Liberalismus ein, der soziale Gleichheit allein von der input-Seite aus betrachtet und auf Chancengleichheit reduziert. Abgesehen von dieser *moralischen* Anleihe verschwimmt aber in der öffentlichen Wahrnehmung der Unterschied zwischen Margaret Thatcher und Toni Blair vor allem deshalb, weil sich die neueste Linke an die *ethische* Vorstellungswelt der Neoliberalismus angleicht.[13] Ich meine die Bereitschaft, sich auf das Ethos einer »weltmarktorientierten Lebensform«[14] einzulassen, das von allen Bürgern erwartet, sich zu »Unternehmern ihres eigenen Humankapitals« auszubilden.[15]

(d) Wer über diesen Schatten nicht springen will, wird eine andere, offensive Variante des Dritten Weges in Betracht ziehen.

---

12 Zukunftskommission der Friedrich Ebert Stiftung (Hg.), *Wirtschaftliche Leistungsfähigkeit, sozialer Zusammenhalt und ökologische Nachhaltigkeit*, Bonn 1998, S. 225 ff.

13 Zu dieser Terminologie vg. J. Habermas, »Vom pragmatischen, ethischen und moralischen Gebrauch der Vernunft«, in: ders., *Erläuterungen zur Diskursethik*, Frankfurt a. M. 1990, S. 100 ff.

14 Th. Maak, Y. Lunau (Hg.), *Weltwirtschaftsethik*, Bern 1998, S. 24.

15 U. Thielemann, »Globale Konkurrenz, Sozialstandards und der Zwang zum Unternehmertum«, in: Maak, Lunau (1998), S. 231.

Diese Perspektive lässt sich vom Vorrang der Politik vor der Logik des Marktes leiten: »Wie weit die Systemlogik des Marktes ›entfesselt‹ werden soll, wo und in welchem Rahmen Markt ›herrschen‹ soll, das zu bestimmen ist in einer modernen Gesellschaft letztlich Sache deliberativer Politik.«[16] Das klingt voluntaristisch und ist auch zunächst nicht mehr als ein normatives Postulat, das nach unseren bisherigen Überlegungen innerhalb des nationalen Rahmens nicht mehr eingelöst werden kann. Bei der Suche nach einem Ausweg aus dem Dilemma zwischen der Abrüstung der sozialstaatlichen Demokratie und der Aufrüstung des Nationalstaates lenkt diese Forderung jedoch den Blick auf größere politische Einheiten und transnationale Regime, die, ohne dass die Kette der demokratischen Legitimation abreißen müsste, die Funktionsverluste des Nationalstaates kompensieren könnten. Als erstes Beispiel einer Demokratie jenseits des Nationalstaates bietet sich uns natürlich die Europäische Union an. Allerdings ändert die Schaffung größerer politischer Einheiten noch nichts am Modus der Standortkonkurrenz, d. h. am Vorrang der Marktintegration als solcher. Die Politik wird gegenüber globalisierten Märkten erst »aufholen« können, wenn es auf weitere Sicht gelingt, für eine Weltinnenpolitik eine tragfähige Infrastruktur hervorzubringen, die von demokratischen Legitimationsprozessen gleichwohl nicht entkoppelt ist.[17]

Die Rede vom »Aufholen« einer Politik, die den Märkten »nachwächst«, soll freilich nicht das Bild einer Machtkonkurrenz zwischen politischen und ökonomischen Akteuren nahe legen. Die problematischen Folgen einer Politik, die die Gesellschaft insgesamt an Strukturen des Marktes assimiliert, erklären sich ja daraus, dass politische Macht nicht in beliebigem Umfang durch Geld substituiert werden kann. Der Einsatz legitimer Macht bemisst sich an anderen als ökonomischen Erfolgskriterien; anders als politische Ordnungen können Märkte beispielsweise nicht demokratisiert werden. Angemessener ist das Bild einer Konkurrenz zwischen verschiedenen Medien. Die Politik, die Märkte herstellt, ist insofern eine selbstbezügliche Politik, als jeder Schritt zur Deregulierung von Märkten gleichzeitig eine Depo-

16 P. Ulrich, *Integrative Wirtschaftsethik*, Bern 1997, S. 334.
17 E. Richter, »Demokratie und Globalisierung«, in: A. Klein, R. Schmalz-Bruns, *Politische Beteiligung und Bürgerengagement in Deutschland*, Baden-Baden 1997, S. 173-202.

tenzierung oder Selbsteinschränkung der politischen Macht als des Mediums für die Durchsetzung kollektiv bindender Entscheidungen bedeutet. Eine aufholende Politik kehrt diesen Prozess um; sie ist reflexive Politik unter umgekehrten Vorzeichen. Und da die demokratische Erzeugung politischer Macht auf kommunikative Prozesse angewiesen ist, die die Verwendung von Macht erst autorisieren, muss sich auch die politische Kommunikation auf das Ziel einer solchen selbstbezüglichen Ausdehnung der Politik – auf Kosten eines anderen, zu verdrängenden Regelungsmechanismus – richten.

III. Europa und die Welt.

(1) Wenn man die bisherige Entwicklung der Europäischen Union aus diesem Blickwinkel betrachtet, gelangt man zu einem paradoxen Ergebnis: die Schaffung neuer politischer Institutionen – der Brüsseler Behörden, des Europäischen Gerichtshofes und der Europäischen Zentralbank – bedeutet keineswegs per se eine Stärkung von Politik. Die Währungsunion ist der letzte Schritt auf einem Weg, der sich, trotz der anfänglichen Programmatik von Schumann, de Gasperi und Adenauer, aus dem Rückblick nüchtern als »intergouvernementale Marktherstellung« beschreiben lässt.[18] Die Europäische Union stellt sich heute als ein kontinentaler Großraum dar, der über den Markt horizontal dicht vernetzt ist, aber vertikal durch mittelbar legitimierte Behörden vergleichsweise schwach politisch reguliert wird. Weil die Mitgliedstaaten mit der Übertragung ihrer Geldsouveränität auf die Zentralbank die Steuerungsmöglichkeit der Wechselkursanpassung verloren haben, werden sich bei der zu erwartenden Verschärfung des Wettbewerbs innerhalb des einheitlichen Währungsgebiets Probleme einer neuen Größenordnung stellen.

Die bisher national verfassten Ökonomien befinden sich auf verschiedenen Entwicklungsniveaus und sind durch verschiedene Wirtschaftsstile geprägt. Bis zu dem Zeitpunkt, wenn aus dieser heterogenen Gemengelage eine integrierte Ökonomie hervorgegangen sein wird, führt die Interaktion der einzelnen, nach wie

---

18 W. Streeck, »Vom Binnenmarkt zum Bundesstaat?«, in: St. Leibfried, P. Pierson (Hg.), *Standort Europa*, Frankfurt a. M. 1998, S. 369-421.

vor in verschiedene politische Systeme eingelassenen Wirtschafts-
räume zu Friktionen. Das betrifft zunächst schwächere Ökonomien, die ihre Wettbewerbsnachteile durch Lohnkürzungen
ausgleichen müssen, während die stärkeren Ökonomien Lohn-
dumping befürchten. Ein ungünstiges Szenario wird für die in
nationaler Zuständigkeit verbleibenden, ganz verschieden struk-
turierten und schon heute konfliktträchtigen sozialen Sicherungssysteme entworfen. Während die einen fürchten, ihrer
Kostenvorteile beraubt zu werden, fürchten die anderen eine An-
gleichung nach unten. Europa wird vor die Alternative gestellt,
diesen Problemdruck entweder über den Markt – letztlich als
Wettbewerb zwischen sozialpolitischen Regimen und Standorten
– abzuwickeln oder den Druck politisch zu bearbeiten – mit dem
Versuch, in wichtigen Fragen der Sozial-, Arbeitsmarkt- und
Steuerpolitik zu einer »Harmonisierung« und schrittweisen Anpassung zu gelangen. Im Kern geht es darum, ob der institutionelle status quo eines zwischenstaatlichen Ausgleichs nationaler
Interessen auch um den Preis eines run to the bottom verteidigt
oder ob die Europäische Union zu einer echten Föderation, über
den gegenwärtigen Stand eines Staatenbundes hinaus, weiterent-
wickelt werden soll. Nur dann würde sie die politische Kraft gewinnen, *marktkorrigierende* Entscheidungen zu treffen und Regelungen mit *redistributiver* Wirkung durchzusetzen.

In den Koordinaten der gegenwärtigen Globalisierungsdiskus-
sion fällt weder den Neoliberalen noch den Nationalisten die
Wahl zwischen dieser Alternative schwer. Während die verzwei-
felten *Euroskeptiker* angesichts der in Kraft getretenen Währungsunion erst recht auf Protektion und Exklusion setzen, sind
die *Markteuropäer* mit der Währungsunion als der Vollendung
des Binnenmarktes zufrieden gestellt. Im Unterschied zu beiden
Positionen streben die *Eurofӧderalisten* eine Umwandlung der
internationalen Verträge in eine politische Verfassung an, um den
Entscheidungen von Kommission, Ministerrat und Europäi-
schem Gerichtshof eine eigene Legitimationsgrundlage zu verschaffen. Davon unterscheiden sich noch einmal die Vertreter einer *kosmopolitischen* Position. Sie betrachten einen Bundesstaat
Europa als Ausgangsbasis für die Entwicklung eines transnationalen Netzwerks von Regimen, die auch ohne Weltregierung gewissermaßen Weltinnenpolitik betreiben können. Allerdings
kompliziert sich der zentrale Gegensatz zwischen Eurofӧdera-

listen und Markteuropäern dadurch, dass diese mit jenen ehemaligen Euroskeptikern, die jetzt auf der Grundlage der bestehenden Währungsunion einen Dritten Weg suchen, eine unausgesprochene Koalition eingehen. Blair und Schröder sind, wie es scheint, von Tietmeyer nicht mehr so weit entfernt.

Die Markteuropäer möchten den europäischen status quo bewahren, weil er die Unterordnung der zersplitterten nationalstaatlichen Aktoren unter die Marktintegration besiegelt. Der Sprecher der Deutschen Bank kann deshalb die Diskussion über Staatenbund, Vereinigte Staaten von Europa oder Bundesstaat nur als »akademisch« betrachten: »Im Rahmen der Integration von Wirtschaftsräumen verschwindet zuletzt jede Unterscheidung zwischen bürgerlicher und ökonomischer Betätigung. Diese ist sogar der zentrale Zweck, der mit Integrationsprozessen verfolgt wird.«[19] Aus dieser Sicht soll der europäische Wettbewerb nationale Besitzstände wie die öffentlich-rechtliche Kreditbranche oder die staatliche Sozialversicherung »enttabuisieren« und wegschmelzen. Die Position der Markteuropäer beruht freilich auf einer Prämisse, die auch von sozialdemokratischen Anhängern des Nationalstaates, die nun einen Dritten Weges beschreiten wollen, geteilt wird: »Die Einschränkung staatlicher Macht im Zeitalter der Globalisierung zu beheben ist unmöglich; (die Globalisierung)... verlangt vor allem danach, die freiheitlichen Kräfte der Bürgergesellschaft zu stärken« – nämlich »Eigeninitiative und Selbstverantwortung der Bürger«.[20] Diese gemeinsame Prämisse erklärt eine Umkehr der Allianzen. Heute unterstützen frühere Euroskeptiker die Markteuropäer in der Verteidigung des europäischen status quo, wenn auch aus anderen Motiven und mit anderen Zielen. Sie wollen die staatliche Sozialpolitik nicht abbauen, sondern auf Humankapitalinvestitionen umlenken, im Übrigen sollen die sozialen »Stoßdämpfer« nicht ganz in private Hände gelegt werden.

So vermischt sich die Auseinandersetzung zwischen Neoliberalen und Euroföderalisten mit einer Auseinandersetzung zwischen der defensiven und der offensiven Variante des »Dritten Weges«, die innerhalb des sozialdemokratischen Lagers, sagen wir: zwischen Schröder und Lafontaine, schwelt. Dieser Konflikt berührt

19 R.-E. Breuer, »Offene Bürgergesellschaft in der globalisierten Weltwirtschaft«, FAZ vom 4. 1. 1999, S. 9.
20 Ebd.

nicht nur die Frage, ob die Europäische Union durch eine Harmonisierung der verschiedenen nationalen Steuer-, Sozial- und Wirtschaftspolitiken den Handlungsspielraum, den die Nationalstaaten verloren haben, zurückgewinnen kann. Immerhin genießt der europäische Wirtschaftsraum wegen der dichten regionalen Verflechtung von Handelsbeziehungen und Direktinvestitionen gegenwärtig noch eine relativ große Unabhängigkeit vom globalen Wettbewerb. Vor allem konzentriert sich die Auseinandersetzung zwischen Euroskeptikern und Euroföderalisten auf die Frage, ob die Europäische Union angesichts der Vielfalt der Mitgliedstaaten, ihrer Völker, Kulturen und Sprachen jemals die Qualität eines echten Staates erlangen kann oder ob sie auch in Zukunft in den Grenzen von neokorporatistischen Verhandlungssystemen gefangen bleibt.[21] Die Euroföderalisten verfolgen das Ziel, die Regierungsfähigkeit der Union zu stärken, damit europaweit Politiken und Regelungen durchgesetzt werden können, die die Mitgliedstaaten zu einem koordinierten Vorgehen auch dann verpflichten, wenn sie Umverteilungen zur Folge haben. Aus dieser Sicht muss die Erweiterung der politischen Handlungsfähigkeit mit einer Erweiterung der Legitimationsgrundlage Hand in Hand gehen.

Nun ist unstrittig, dass es eine europaweite demokratische Willensbildung, die positiv koordinierte und umverteilungswirksame Politiken tragen und legitimieren soll, ohne eine erweiterte solidarische Grundlage nicht geben kann. Die bislang auf den Nationalstaat beschränkte staatsbürgerliche Solidarität müsste sich auf die Bürger der Union derart ausdehnen, dass beispielsweise Schweden und Portugiesen bereit sind, *füreinander* einzustehen. Erst dann könnten ihnen annähernd gleiche Mindestlöhne, überhaupt gleiche Bedingungen für individuelle, allerdings nach wie vor national geprägte Lebensentwürfe zugemutet werden. Die Skeptiker bezweifeln das mit dem Argument, dass es so ein europäisches »Volk«, das einen europäischen Staat konstituieren könnte, nicht gibt.[22] Andererseits entstehen Völker erst mit ihren staatlichen Verfassungen. Die Demokratie ist selbst eine rechtlich vermittelte Form der politischen Integration. Gewiss, diese ist

---

21 C. Offe, »Demokratie und Wohlfahrtsstaat: Eine europäische Regimeform unter dem Streß der europäischen Integration«, in: Streeck (1998), S. 99 bis 136.
22 D. Grimm., *Braucht Europa eine Verfassung?*, Münster 1995; dazu: J. Habermas, *Die Einbeziehung des Anderen*, Frankfurt a. M. 1996, S. 185-191.

wiederum auf eine von allen Bürgern geteilte politische Kultur angewiesen. Aber wenn man bedenkt, dass in den europäischen Staaten des 19. Jahrhunderts Nationalbewusstsein und staatsbürgerliche Solidarität – die erste moderne Form einer kollektiven Identität – erst allmählich, mit Hilfe von nationaler Geschichtsschreibung, Massenkommunikation und Wehrpflicht *erzeugt* worden sind, besteht kein Grund zum Defaitismus. Wenn sich diese artifizielle Form einer »Solidarität unter Fremden« einem historisch folgenreichen Abstraktionsschub vom lokalen und dynastischen zum nationalen und demokratischen Bewusstsein verdankt, warum sollte sich dieser Lernprozess nicht über nationale Grenzen hinaus fortsetzen lassen?

Die Hürden sind freilich hoch. Eine Verfassung wird nicht genügen. Sie kann die demokratischen Prozesse, in denen sie dann Wurzeln schlagen muss, nur in Gang setzen. Da das Element der *Vereinbarung* zwischen Mitgliedstaaten auch in einer politisch *verfassten* Union nicht verschwindet, wird ein europäischer Bundesstaat ohnehin einen anderen Zuschnitt als nationale Bundesstaaten annehmen müssen und dessen Legitimationswege nicht einfach kopieren können.[23] Ein europäisches Parteiensystem wird sich erst in dem Maße formieren, wie die bestehenden Parteien zunächst in ihren nationalen Arenen über die Zukunft Europas streiten und dabei grenzüberschreitende Interessen entdecken. Diese Diskussion muss in europaweit vernetzten nationalen Öffentlichkeiten synchronisiert, also zur selben Zeit über dieselben Themen geführt werden, sodass sich eine europäische Bürgergesellschaft mit Interessenverbänden, nichtstaatlichen Organisationen, Bürgerinitiativen usw. bilden kann. Transnationale Massenmedien können wiederum einen vielsprachigen Kommunikationszusammenhang erst herstellen, wenn die nationalen Bildungssysteme auch für eine gemeinsame Fremdsprachenbasis sorgen. Dann werden die Erben einer gemeinsamen europäischen Geschichte, von ihren zerstreuten nationalen Zentren ausgehend, sich nach und nach in einer gemeinsamen politischen Kultur wiederfinden.

(2) Zum Schluss ein Wort zur weltbürgerlichen Perspektive dieser Entwicklung. Ein europäischer Bundesstaat würde auf-

---

23 K. Eder, K. U. Hellmann, H. J. Trenz, »Regieren in Europa jenseits öffentlicher Legitimation?«, in: Kohler-Koch (1998), S. 321-344.

grund seiner erweiterten wirtschaftlichen Basis günstigenfalls Skaleneffekte und damit Vorteile im globalen Wettbewerb erzielen. Wenn aber das föderalistische Projekt allein den Zweck verfolgen würde, einen weiteren global player von der Größenordnung der USA ins Feld zu bringen, bliebe es partikularistisch und würde der asylpolitischen »Festung Europa« nur eine weitere, eine ökonomische Dimension hinzufügen. Demgegenüber könnte der Neoliberalismus sogar auf die »Moral des Marktes« pochen, auf das unparteiliche Urteil eines Weltmarktes, der ja den Schwellenländern bereits die Chance eingeräumt hat, ihre komparativen Kostenvorteile auszunutzen und aus eigener Kraft einen Rückstand aufzuholen, den die wohlmeinenden Programme der Entwicklungspolitik nicht hatten überwinden können. Ich brauche auf die sozialen Kosten dieser Entwicklungsdynamik nicht näher einzugehen.[24] Aber es ist schwer von der Hand zu weisen, dass supranationale Zusammenschlüsse, die global handlungsfähige politische Einheiten konstituieren, nur dann ein normativ unverfängliches Vorhaben sind, wenn dem ersten Schritt ein zweiter folgt.

Damit stellt sich die Frage, ob die kleine Gruppe weltpolitisch handlungsfähiger Aktoren im Rahmen einer reformierten Weltorganisation das vorerst locker geknüpfte Netz transnationaler Regime so ausbauen kann und in der Weise nutzen will, dass ein Kurswechsel zu einer Weltinnenpolitik ohne Weltregierung möglich ist.[25] Eine solche Politik müsste unter dem Gesichtspunkt betrieben werden, Harmonisierung statt Gleichschaltung herbeizuführen, ohne der temporären Vielfalt der ökologischen und sozialen Standards auf Dauer eine falsche Legitimität zu verleihen. Das Fernziel müsste sein, die soziale Spaltung und Stratifikation der Weltgesellschaft ohne Beeinträchtigung der kulturellen Eigenart schrittweise zu überwinden.

24 Vgl. die Einleitung und die Beiträge zu Teil IV in: Maak und Lunau (1998).
25 Habermas (1998), S. 156ff.

7. Braucht Europa eine Verfassung?[*]

Es besteht ein eigentümlicher Kontrast zwischen den Erwartungen und Forderungen jener »Europäer der ersten Stunde«, die sich unmittelbar nach dem Ende des Zweiten Weltkrieges für die politische Einigung Europas eingesetzt und das Projekt entworfen haben,[1] und denen, die heute vor der Aufgabe stehen, das auf den Weg gebrachte Projekt fortzusetzen. Was auffällt, ist nicht nur das Gefälle der rhetorischen Stimmlagen, sondern der Kontrast in den Zielsetzungen. Während die Generation der Vorreiter die »Vereinigten Staaten von Europa« im Munde führten und den Vergleich mit den USA nicht scheuten, hat sich die gegenwärtige Diskussion von solchen Vorbildern gelöst. Selbst das Wort »Föderalismus« ist anstößig.[2] Das kürzlich erschienene Buch von Larry Siedentop, das in England große Aufmerksamkeit gefunden hat, ist ein Beispiel für eine Mentalität, die Chiracs Vorsicht sehr viel näher ist als der Vision Joschka Fischers: »A great constitutional debate need not involve a prior commitment to federalism as the most desirable outcome in Europe. It may reveal that Europe is in the process of inventing a new political form, something more than a confederation but less than a federation – an association of sovereign states which pool their sovereignty only in very restricted areas to varying degrees, an association which does not seek to have the coercive power to act directly on individuals in the fashion of nation states.«[3] Es fragt sich, ob dieser Wechsel des politischen Klimas nur einen gesunden Realismus – als Ergebnis eines jahrzehntelangen Lernprozesses – ausdrückt oder eher einen kontraproduktiven Kleinmut, wenn nicht gar schlichten Defätismus.

Siedentop trifft nicht ganz die Sache, wenn er über den Mangel an einer inspirierten Verfassungsdebatte klagt, die das Gemüt und die Einbildungskraft der europäischen Völker ergreift. Unsere Situation lässt sich nicht mit der der Federalists[4] oder der Mitglie-

---

1 F. Niess, Die europäische Idee. Frankfurt a. M. 2001
2 F. Niess, »Das ›F-Wort‹«, in: Blätter für deutsche und internationale Politik, Sept. 2000, S. 1105-1115.
3 L. Siedentop, *Democracy in Europe*, London 2000, S. 1.
4 *The Debate on the Constitution, Part One and Two*, The Library of America, Washington 1993.

der der Assemblée Nationale vergleichen. Am Ende des 18. Jahrhunderts waren die Verfassungsväter in Philadephia und die revolutionären Bürger von Paris Initiatoren und Teilnehmer einer unerhörten Praxis, die die Welt bis dahin niemals gesehen hatte. Nach zweihundert Jahren verfassungsgebender Praxis gehen wir nicht nur auf ausgetretenen Pfaden, die Verfassungsfrage ist auch nicht der Schlüssel zu den Problemen, die wir lösen müssen. Ja, die Herausforderung besteht nicht so sehr darin, irgendetwas Neues zu erfinden, sondern darin die großen Errungenschaften des europäischen Nationalstaates über dessen nationale Grenzen hinaus in einem anderen Format zu bewahren; neu ist nur die Entität, die auf diesem Wege entstehen wird. Bewahrt werden müssen die materiellen Lebensbedingungen, die Chancen zu Bildung und Muße, die sozialen Gestaltungsspielräume, die der privaten Autonomie erst ihren Gebrauchswert verleihen und dadurch demokratische Partizipation möglich machen. Wegen dieser »Materialisierung« der rechtstaatlichen Garantien, von der schon Max Weber gesprochen hat, hängt heute die Debatte über die »Zukunft Europas« weniger von juristischen oder rechtsphilosophischen Überlegungen als vielmehr von den hochspezialisierten und inzwischen weit verzweigten Diskursen der Wirtschafts- und Sozialwissenschaftler, vor allem der Politologen ab. Andererseits dürfen wir das symbolische Gewicht des Umstandes, dass inzwischen eine Verfassungsdebatte überhaupt in Gang gekommen ist, nicht unterschätzen. Als politisches Gemeinwesen kann sich Europa im Bewusstsein seiner Bürger nicht allein in Gestalt des Euro festsetzen. Der intergouvernementalen Vereinbarung von Maastricht fehlt jene Kraft zur symbolischen Verdichtung, die nur ein politischer Gründungsakt haben kann.

Auf verfassungsrechtliche Überlegungen werde ich am Schluss kurz eingehen. Ich beginne mit den rechtfertigenden Gründen, die nach wie vor für eine energische Fortsetzung des Projektes der Einigung Europas sprechen (I.), um dann auf die beiden zentralen Fragen der Euroskeptiker einzugehen, ob denn die europäischen Gesellschaften heute überhaupt die Voraussetzungen für einen föderalistischen Ausbau der Europäischen Union erfüllen (II.) und, selbst wenn das der Fall sein sollte, wer denn mit welchen verfassungsrechtlichen Zielvorstellungen ein solche Projekt angesichts der Widerstände in der Bevölkerung politisch durchsetzen könnte (III.)

I. Warum soll Europa das Ziel
einer »immer engeren Union« verfolgen?

Die Frage der Rechtfertigung einer offensiven Einstellung zur Zukunft der EU behandele ich unter den beiden Aspekten (1.) der Zielsetzungen und (2.) der Probleme, mit denen wir heute infolge bereits getroffener Entscheidungen so oder so konfrontiert sind.

(1.) Die Zielsetzungen der Gründergeneration (Schumann, de Gasperi und Adenauer) haben viel von ihrer ursprünglichen Relevanz eingebüßt (a). Die EU-Eliten haben allerdings die ursprünglichen Ziele inzwischen durch eine andere Agenda ersetzt (b).

(a) Die stärkste, bis in die Generation von Helmut Kohl mächtigste Antriebskraft war der Wunsch, der Geschichte der blutigen Kriege in Europa ein Ende zu setzen. Ein weiteres, übrigens auch von Adenauer geteiltes Motiv war eine Einbindung Deutschlands, die das historisch begründete Misstrauen gegenüber der politisch ungefestigten, aber wirtschaftlich bald wieder erstarkten Nation in der Mitte Europas besänftigen sollte. Obwohl heute alle Seiten davon überzeugt sind, dass das erste dieser beiden Ziele definitiv erreicht ist, überlebt das Ziel der Friedenssicherung in einem ganz anderen Kontext. Im Laufe des Kosovokrieges ist ein subtiler Unterschied in der Rechtfertigung der humanitären Intervention deutlich geworden. Die USA und Großbritannien betrachteten den Einsatz der Nato aus der Sicht ihrer um Ziele der Menschenrechtspolitik erweiterten nationalen Präferenzen. Hingegen schienen sich die kontinentalen Staaten eher am Vorschein der Prinzipien eines künftigen Weltbürgerrechts zu orientieren als an der Gegenwart der ordnungspolitischen Notwendigkeiten, wie sie sich einer global denkenden Supermacht darstellen.[5] Im Hinblick auf die strukturellen Veränderungen der internationalen Beziehungen, das Entstehen transnationaler Netzwerke und ganz neuer Herausforderungen gibt es gute Gründe dafür, dass die Europäische Union, gestützt auf eigene Streitkräfte, in Fragen der Außen- und Sicherheitspolitik mit einer Stimme spricht, um in der Nato und im UN-Sicherheitsrat eigene Vorstellungen besser zur Geltung zu bringen.

5 Vgl. oben S. 36.

Das andere Ziel, die Integration eines argwöhnisch betrachteten Deutschland in ein friedliches Europa, mag angesichts gefestigter demokratischer Institutionen und verbreiteter liberaler Mentalitäten in unserem Lande an Plausibilität verloren haben. Aber die Wiedervereinigung des 82-Millionen Volkes hat alte Befürchtungen vor dem Rückfall in die imperialen Träume und Traditionen des Deutschen Reiches wiederbelebt. Auf dieses Thema brauche ich nicht näher einzugehen. Denn keines der beiden erwähnten Motive würde heute noch als hinreichender Grund für eine stärkere Integration Europas zählen. Ohnehin zerfallen ist der Karolingische Hintergrund der konservativen Gründergeneration – die Berufung auf das christliche Abendland.

Allerdings gab es von Anbeginn ein drittes, geradewegs ökonomisches Interesse an der wirtschaftlichen Einigung Europas. Seit der Kohle- und Stahlgemeinschaft aus dem Jahre 1951 und seit der Gründung von Europäischer Wirtschaftsgemeinschaft und Euratom im Jahre 1958 sind immer mehr Länder über den freien Austausch von Personen und Gütern, von Kapital und Dienstleistungen integriert worden – ein Prozess, der mit der Herstellung des Gemeinsamen Marktes und der Einführung der gemeinsamen Währung vollendet worden ist. Heute bildet die Europäische Union den Rahmen für ein immer dichteres Netzwerk von Handelsbeziehungen, Direktinvestitionen, für alle Arten von Transaktionen. Neben den USA und Japan hat Europa eine starke und immer noch einflussreicher werdende Position gewonnen. Andererseits liefert die rationale Erwartung von Gewinnen und differenziellen Wettbewerbsvorteilen nur eine begrenzte Legitimation. Wünschenswerte Ergebnisse stabilisieren bestenfalls den status quo, selbst wenn wir den symbolischen Wert in Rechnung stellen, den der einheitsstiftende Euro demnächst im Alltag der Konsumenten haben wird.

Wirtschaftliche Erwartungen reichen als Motiv nicht aus, um in der Bevölkerung politische Unterstützung für das risikoreiche Projekt einer Union, die diesen Namen verdiente, zu mobilisieren. Dazu bedarf es gemeinsamer Wertorientierungen.[6] Gewiss hängt die Legitimität eines Regimes auch von seiner Effizienz ab. Aber politische Innovationen wie der Aufbau eines Staates von

6 J. E. Fossum, »Constitution-making in the European Union«, in: E. O. Erikson, J. E. Fossum (Eds.), *Democracy in the European Union – Integration through Deliberation?*, London 2000, S. 11-163.

Nationalstaaten bedürfen der politischen Mobilisierung für Ziele, die nicht nur an die Interessen, sondern auch an die Gemüter appellieren. Neue Verfassungen waren bisher historische Antworten auf Krisensituationen. Aber wo sind die Krisen, denen die im ganzen eher wohlhabenden und friedlichen westeuropäischen Gesellschaften heute begegnen müssten? Die Transformationsgesellschaften in Mittelosteuropa, die der Europäischen Union beitreten wollen, müssen in der Tat mit den extremen Herausforderungen eines Systembruchs fertig werden – aber deren Antwort war die Rückkehr zum Nationalstaat. In diesen Ländern besteht erst recht kein Enthusiasmus für die Übertragung von jüngst wiedergewonnenen Souveränitätsrechten auf europäische Instanzen.

Angesichts der fehlenden Motivation auf beiden Seiten wird freilich das Ungenügen ausschließlich ökonomischer Gründe nur umso deutlicher. Diese müssen sich mit Ideen ganz anderer Art verbinden, um in den Mitgliedstaaten nationale Mehrheiten für eine Veränderung des politischen status quo zu gewinnen – sagen wir, mit der Idee der Bewahrung einer spezifischen, heute in Gefahr geratenen Kultur und Lebensform. Die große Masse der europäischen Bürger fühlt sich eins in dem Interesse an der Verteidigung einer Lebensform, die sie in den begünstigten Regionen diesseits des Eisernen Vorhangs, während des dritten Viertels des vergangenen Jahrhunderts – also in Hobsbawm's Goldenem Zeitalter – entwickeln konnten. Gewiss war ein schnelles Wirtschaftswachstum die Grundlage für einen Sozialstaat, in dessen Rahmen sich die europäischen Nachkriegsgesellschaften regeneriert haben. Aber als Ergebnis dieser Regeneration zählt nur eins – Lebensweisen, in denen sich auf der Grundlage von Wohlstand und Sicherheit der Reichtum und die nationale Vielfalt einer über Jahrhunderte zurückreichenden, attraktiv erneuerten Kultur ausdifferenziert hat.

Die ökonomischen Vorteile der europäischen Einigung zählen als Argument für einen weiteren Ausbau der EU nur im Kontext einer über die wirtschaftliche Dimension weit hinausgreifenden kulturellen Anziehungskraft. Die Bedrohung dieser Lebensform, und der Wunsch nach ihrer Erhaltung, stachelt zur Vision eines künftigen Europas an, das es mit den aktuellen Herausforderungen noch einmal innovativ aufnehmen will. Der französische Premierminister hat in seiner großartigen Rede vom 28. Mai 2001 auf diese »europäische Lebensweise« als Inhalt des politischen

Projeks hingewiesen: »Bis vor kurzem konzentrierten sich die Anstrengungen der Union auf die Schaffung der Währungs- und Wirtschaftsunion ... Heute bedarf es aber einer weiter reichenden Perspektive, andernfalls wird Europa zu einem bloßen Markt verkommen und in der Globalisierung aufgeweicht. Denn Europa ist viel mehr als ein Markt. Es steht für ein Gesellschaftsmodell, das geschichtlich gewachsen ist ...«[7]

(b) Ob wir nun die wirtschaftliche Globalisierung als eine beschleunigte Fortsetzung lang anhaltender Trends oder als den Übergang zu einer neuen, transnationalen Form des Kapitalismus verstehen, in jedem Fall teilt sie mit allen Prozessen beschleunigter Modernisierung einige beunruhigende Züge. In Perioden schnellen Strukturwandels entsteht eine zunehmend ungleiche Verteilung der sozialen Kosten. Die Statusungleichheit zwischen Gewinnern und Verlierern der Modernisierung nimmt zu. Sie geht Hand in Hand mit der generellen Erwartung kurzfristig höherer Belastungen und langfristig größerer Zuwächse. Nun ist dieser letzte Schub wirtschaftlicher Globalisierung keineswegs die Folge einer naturwüchsigen Evolution. Weil die Globalisierung der Märkte das Ergebnis intentional herbeigeführter politischer Entscheidungen (der GATT-Runden und der Etablierung der Welthandelsorganisation) ist, muss es auch möglich sein, die unerwünschten Konsequenzen dieser Entscheidungen zwar nicht durch eine Umkehrung des Prozesses, aber durch komplementär-gegenläufige Sozial- und Wirtschaftspolitiken aufzufangen.

Allgemein betrachtet, müssen solche Politiken auf die Bedürfnisse verschiedener Gruppen zugeschnitten sein.[8] Für kurzfristige Verlierer kann die Beschäftigungslücke durch Investitionen in Ausbildung und Umschulung sowie durch befristete Transfers überbrückt werden, während die auf Dauer Betroffenen beispielsweise durch eine negative Einkommenssteuer oder andere Formen eines von der Beschäftigungssituation entkoppelten Grundeinkommens entschädigt werden können. Freilich sind umverteilungswirksame Programme nicht leicht durchzusetzen, zumal die Modernisierungsverlierer heute nicht mehr zu einer In-

---

7 L. Jospin, »Europa schaffen, ohne Frankreich abzuschaffen, ist mein Kredo«, Frankfurter Rundschau, 5. Juni 2001.
8 Zum folgenden vgl. G. Vobruba, *Alternativen zur Vollbeschäftigung*, Frankfurt a. M. 2001.

dustriearbeiterschaft mit starken Vetopositionen gehören. Die politische Entscheidung, ob sich die Gesellschaft ein angemessenes Niveau *allgemeinen* Wohlstandes leisten will, das die Segmentierung von Randgruppen, soziale Exklusion überhaupt ausschließt, hängt immer stärker von Gerechtigkeitsüberlegungen, vor allem von der Sensibilität breiter Schichten für die wahrnehmbaren Phänomene verletzter staatsbürgerlicher Solidarität ab. Solche normativen Überlegungen können aber nur solange Mehrheiten in Bewegung setzen, wie sie in den Traditionen der herrschenden politischen Kultur verankert sind.

Das ist keine ganz unrealistische Annahme für die europäischen Länder, wo die politischen Traditionen der Arbeiterbewegung, der kirchlichen Soziallehren und des Sozialliberalismus den Vorstellungen gesellschaftlicher Solidarität noch eine gewisse Resonanz sichern. In der Literatur der vergleichenden Kulturwissenschaften wird Europa ein Wertmuster zugeschrieben, das privaten Individualismus mit öffentlichem Kollektivismus auf einzigartige Weise kombiniert. So stellt etwa Göran Therborn fest, »that the European road to and through modernity has also left a certain legacy of social norms, reflecting European experiences of class and gender … Collective bargaining, trade unions, public social services, the rights of women and children are all held more legitimate in Europe than in the rest of the contemporary world. They are expressed in social documents of the EU and of the Council of Europe.«[9] In ihrer öffentlichen Selbstdarstellung zehren jedenfalls die großen politischen Parteien nach wie vor von diesem Hintergrund. Sie halten an einem materiellen Begriff demokratischer Staatsbürgerschaft fest und müssen sich auch in Zeiten nationaler Standortpolitik an eher inklusiven gesellschaftspolitischen Zielen messen lassen.

Selbst unter dieser Prämisse stellt sich freilich die Frage, warum nationale Regierungen nicht besser als die schwerfälligen Brüsseler Behörden dafür gerüstet sein sollten, gegensteuernde Politiken und ausgleichende Programme wirksam zu implementieren. Das berührt den kontroversen Punkt, in welcher Weise die wirtschaftliche Globalisierung den Handlungsspielraum nationaler Regierungen berührt. Ich selbst habe die Wende zu einer postnationa-

9 G. Therborn, »Europe's Break with itself«, in: F. Cerutti, E. Rudolph (Eds.), *A Soul for Europe*, Vol. 2, im Erscheinen, S. 44-56, hier S. 52.

len Konstellation betont.[10] In der Zwischenzeit sind einige Gegenargumente vorgebracht worden.[11] Jedenfalls besteht keine lineare Beziehung zwischen der Globalisierung der Märkte und einer abnehmenden Autonomie der Staaten, noch besteht heute notwendigerweise eine inverse Beziehung zwischen den Niveaus der Beschäftigung und der sozialen Sicherheit:

– Die Regierungen haben, auch unabhängig von dem zunehmenden globalen Druck, der von außen auf ihnen lastet, lernen müssen, innerhalb nationaler Arenen im Umgang mit einflussreichen gesellschaftlichen Aktoren eine weniger dominante und stärker moderierende Rolle zu spielen. Die sozialwissenschaftliche Literatur betont die kooperativen Züge eines in Verhandlungssysteme hineingezogenen Staates, der sich mit mehr oder weniger selbstbewussten Parteien ins Benehmen setzen muss. Anscheinend muss sich der Staat, obwohl er nach wie vor den exklusiven Zugang zu Mitteln des legitimen Zwangs behält, immer häufiger vom Stil der Anweisung auf den Modus von Überzeugen und Überreden umstellen.[12]

– Obwohl nationale Regierungen unter dem Druck der globalen Standortkonkurrenz nicht anders können, als die Unternehmenssteuern zu senken, scheinen ihnen, wie jüngste Vergleichsstudien zeigen, auf Politikfeldern, die auf den kovarianten Zusammenhang zwischen den Niveaus der Beschäftigung und der sozialen Sicherheit unmittelbar Einfluss haben, immer noch aussichtsreiche Optionen offen zu stehen.[13]

Diese Argumente erschüttern freilich nicht zwei generelle Aussagen:

– die Annahme, dass nationale Regierungen immer weitergehend in transnationale Netzwerke verstrickt und deshalb immer mehr von politischen Ergebnissen abhängig werden, die unter Bedingungen *asymmetrischer* Machtverteilung ausgehandelt werden; sowie

– die Annahme, dass sich nationale Regierungen, gleichviel

10 Vgl. oben S. 85-103.
11 E. Grande, Th. Risse, »Bridging the Gap«, Zschr. f. intern. Beziehungen, Oktober 2000, S. 235-266.
12 J. Esser, »Der kooperative Nationalstaat im Zeitalter der ›Globalisierung‹«, in: D. Döring (Hg.), *Sozialstaat in der Globalisierung*, Frankfurt a. M. 1999, S. 117-144.
13 F. Scharpf, »The Viability of Advanced Welfare States in the International Economy«, Journ. of Europ. Public Policy, 7, 2000, S. 190-228.

welche Politiken sie wählen, an die imperativen Beschränkungen der deregulierten Märkte anpassen und, in Reaktion auf die erzwungene Senkung der Unternehmenssteuern und auf das Schrumpfen öffentlicher Haushalte, wachsende Ungleichheiten in der Verteilung des Sozialprodukts hinnehmen müssen.

Daher bleibt das Problem bestehen, ob unsere kleinen oder mittelgroßen Nationalstaaten je auf sich gestellt die Handlungskapazität bewahren können, um dem Schicksal einer schleichenden Assimilation an das Gesellschaftsmodell zu widerstehen, das ihnen von dem heute herrschenden Weltwirtschaftsregime angedient wird. Dieses Modell ist, wenn Sie mir eine polemische Zuspitzung gestatten, durch vier Momente geprägt durch das anthropologische Bild vom Menschen als einem rational entscheidenden Unternehmer, der seine eigene Arbeitskraft ausbeutet; durch das sozialmoralische Bild einer postegalitären Gesellschaft, die sich mit Marginalisierungen, Verwerfungen und Exklusionen abfindet; durch das ökonomische Bild einer Demokratie, die Staatsbürger auf den Status von Mitgliedern einer Marktgesellschaft reduziert und den Staat zum Dienstleistungsunternehmen für Klienten und Kunden umdefiniert; schließlich durch das strategische Ansinnen, dass es keine bessere Politik gibt als die, die sich selber abwickelt.

Das sind Bausteine zu einem neoliberalen Weltbild, das, wenn ich recht sehe, nicht gut zum bislang vorwaltenden normativen Selbstverständnis der Europäer passt. Welche Lesart des europäischen Einigungsprojektes legt diese Diagnose nahe? In dem Maße wie die Europäer die unerwünschten sozialen Folgen wachsender distributiver Ungleichheiten balancieren und auf eine gewisse Reregulierung der Weltwirtschaft hinwirken wollen, müssen sie auch ein Interesse an der Gestaltungsmacht haben, die eine politisch handlungsfähige Europäische Union im Kreise der global player gewinnen würde. Helmut Schmidt hat vor kurzem beklagt, dass der gemeinsame Finanzminister fehlt, der Europa beispielsweise im Konzert der G-7-Runde vertritt. Die zwölf Euro-Teilnehmerstaaten müssten ihre Anteile am Weltwährungsfonds, an der Weltbank, an der Bank für Internationalen Zahlungsausgleich bündeln: »Ein gemeinsames Auftreten aller am Euro beteiligten Staaten wäre eine wirkungsvolle Plattform, von der aus die EU dann für eine zuverlässige Ordnung auf den globalen Finanzmärkten und für eine funktionierende Aufsicht über verantwortungslos spekulierende Finanzhäuser eintreten könnte.«[14]

In dieselbe Richtung zielt auch die Vision von zwei Europaspezialisten an der Freien Universität Brüssel, Mario Telò und Paul Mignette: »The European Union is now being challenged to develop a better balance between deregulation and reregulation than national rules have been able to achieve... The Union may be seen as a laboratory in which Europeans are striving to implement the values of justice and solidarity in the context of an increasing global economy.«[15] Wir Europäer haben im Hinblick auf die Zukunft einer hoch stratifizierten Weltgesellschaft ein legitimes Interesse daran, dass wir unsere Stimme in einem internationalen Konzert zur Geltung bringen, das bisher nach einer ganz anderen Partitur spielt.

Natürlich zieht diese Perspektive den Argwohn auf sich, eine parteiliche, sagen wir eine sozialdemokratische Lesart des europäischen Projektes zu sein. Man mag einwenden, dass jede substantielle Deutung parteilich ist und die Anhängerschaft polarisiert. Aber angesichts schwacher Motivation und wachsender Skepsis ist ohne eine Polarisierung der Meinungen eine Mobilisierung an der Basis erst recht nicht zu erwarten. Und normativ betrachtet, ist diese Strategie unbedenklich; denn ein Erfolg wäre prozeduraler Natur. Ein politisch verfasstes und institutionell gefestigtes Europa würde die Fähigkeit zu gemeinsamem Handeln stärken, ohne Richtungsentscheidungen zu präjudizieren. Eine erweiterte politische Handlungsfähigkeit ist eine notwendige, keine hinreichende Bedingung für Korrekturen am Weltwirtschaftsregime, die einige unter uns Euroföderalisten für wünschenswert halten mögen.

(2) Auch wenn wir solche ausgreifenden normativen Ziele außer Acht lassen, sprechen Gründe einer anderen Art immer noch für eine energische Fortführung des europäischen Projektes. So oder so müssen wir mit Problemen fertig werden, die sich aus der Kumulation der unbeabsichtigten Folgen vergangener politischer Entscheidungen ergeben haben. Die gegenwärtige Reformde-

14 DIE ZEIT, 7. Juni 2001.
15 M. Telò, P. Mignette, »Justice and Solidarity«, in: Cerutti and Rudoph (2000), Vol. 1, S. 51.

batte ist vom Dilemma der »Erweiterungskrise«[16] ausgelöst worden. Mit dem Termin für den Beitritt der osteuropäischen Staaten hat sich die EU selbst unter Reformdruck gesetzt. Denn die Erweiterung der Union um zwölf weitere, ökonomisch und gesellschaftlich vergleichsweise heterogene Länder steigert die Komplexität eines Regelungs- und Abstimmungsbedarfs, der ohne eine weitere Integration oder »Vertiefung« nicht bewältigt werden kann. Diesen Reformstau hat die Konferenz von Nizza nicht aufgelöst. Es ist nicht gelungen, das aktuelle Problem der Erweiterung zum Hebel für die Bearbeitung tiefer liegender struktureller Probleme zu machen. Dabei handelt es sich (a) um das Missverhältnis zwischen der dichten ökonomischen und der eher lockeren politischen Verflechtung einerseits und (b) um das demokratische Defizit der Brüsseler Entscheidungsprozesse andererseits.

(a) Die Mitgliedstaaten der EU haben nicht nur in der Kultur- und Bildungspolitik, sondern auch in der Finanz-, Wirtschafts- und Sozialpolitik ihre Zuständigkeiten im Wesentlichen behauptet. Hingegen haben sie ihre Geldsouveränität auf die präsumtiv unpolitische Einrichtung der Zentralbank übertragen und damit ein wichtiges Instrument der Intervention aus der Hand gegeben. Nachdem die Währungsunion den wirtschaftlichen Integrationsprozess vollendet hat, wächst das Bedürfnis nach einer »Harmonisierung« der einzelstaatlichen Politiken auf vielen Feldern. Die Nationalstaaten stehen in verschiedenen Rechtstraditionen, haben verschiedene sozialpolitische Regime, verschiedene neokorporatistische Arrangements und Steuersysteme. Deshalb reagieren sie auf gleiche Stimuli und Herausforderungen auf verschiedene Weise, sodass sich die Interferenz der Nebenfolgen oft kontraproduktiv auswirkt. (Ein harmloses Beispiel sind die unkoordinierten Reaktionen benachbarter Regierungen auf massenhafte Proteste gegen den plötzlichen Anstieg der Öl- und Benzinpreise im September 2000.) Noch stehen die nationalen Regierungen im Wettbewerb um den günstigsten Weg der Anpassung ihrer sozialen Sicherungssysteme an veränderte demographische Bewegungen und an die Imperative der veränderten welt-

---

16 G. Vobruba, »Die Erweiterungskrise der Europäischen Union«, Leviathan, 28 Jg., 2000, S. 477-496.

wirtschaftlichen Situation. Gleichzeitig müssen sie sich über soziale Mindeststandards einigen – also den ersten Schritt in Richtung auf eine Sozialunion tun, die nach den Vorstellungen von Jacques Delors mittelfristig eine Konvergenz der Beiträge und Leistungen befördern würde.

Die Diskrepanz zwischen der fortgeschrittenen ökonomischen und der hinterherhinkenden politischen Integration könnte durch eine Politik überwunden werden, die auf die Konstruktion höherstufiger politischer Handlungsfähigkeiten abzielt, weil sie mit den deregulierten Märkten Schritt halten will. Aus dieser Perspektive erscheint das europäische Projekt als der gemeinsame Versuch der nationalen Regierungen, in Brüssel etwas von der Interventionskapazität zurückzugewinnen, die jede einzelne von ihnen zu Hause verloren hat. So sieht es jedenfalls Lionel Jospin, der für den Euroraum eine Wirtschaftsregierung sowie langfristig eine Harmonisierung der gesamten Unternehmensbesteuerung fordert.[17]

(b) Die Koordinierung weiterer Politikbereiche bedeutet freilich eine Konzentration von Kompetenzen, die ein weiteres Dilemma nur verschärfen würde. Schon heute löst das demokratische Defizit der Brüsseler Behörden ein wachsendes politisches Unbehagen in der breiten Bevölkerung aus. Das gilt keineswegs nur für kleinere Staaten wie Dänemark und Irland oder für die einstweilige Ablehnung der EU von Seiten der Schweizer und der Norweger. Bisher werden die Entscheidungen von Kommission und Ministerrat im Wesentlichen über die Kanäle der bestehenden Nationalstaaten legitimiert. Dieser Legitimationspegel entspricht einer auf internationalen Verträgen beruhenden intergouvernementalen Herrschaft; er war so lange ausreichend, wie markt-*erzeugende* Politiken angesagt waren. In dem Maße, wie sich Ministerrat und Kommission nicht mehr auf die negative Koordination von Unterlassungshandlungen beschränken können, sondern die Grenze zur positiven Koordination von Eingriffen mit Umverteilungsfolgen überschreiten, macht sich der Mangel

---

17 L. Jospin (2001): »Vordringlichste Aufgabe ist die Bekämpfung des »Sozialdumping«: denn es geht nicht an, dass manche Mitgliedstaaten mit einem unlauteren Steuerwettbewerb die weltweiten Investitionen anlocken und die europäischen Konzerne dazu verlocken, ihre Zentralen dorthin zu verlagern«.

an einer *europaweiten* staatsbürgerlichen Solidarität bemerkbar. Die Implementierung Brüsseler Entscheidungen berührt nach manchen Schätzungen schon 70% der nationalen Gesetzgebungsprozesse, ohne dass diese Materien dem öffentlichen politischen Streit in den nationalen Arenen ausgesetzt würden, zu denen die Inhaber europäischer Pässe ja allein Zugang haben.

Die Dichte europäischer Entscheidungen, die Undurchsichtigkeit ihres Zustandekommens und die fehlende Gelegenheit für die europäischen Bürger, sich an den Entscheidungsprozessen zu beteiligen, rufen an der Basis Misstrauen hervor. Claus Offe hat die Themen und regelungsbedürftigen Komplexe untersucht, die in den einzelnen Nationen Befürchtungen wecken und zwischen ihnen Rivalitäten auslösen. Die Sorgen richten sich in erster Linie auf fiskalische Umverteilungseffekte, die die eigenen Landsleute benachteiligen und anderen Nationen zugute kommen könnten. Befürchtungen wecken auch die Immigrationsströme *aus* fremden Ländern und die Investitionsströme, die *in* fremde Lände abfließen. In diesem Kontext spielt auch die Vorstellung eine Rolle, dass die ungebremste Konkurrenz mit Gesellschaften eines anderen Produktivitätsniveaus schädliche Folgen für die eigene Gesellschaft haben. Offe beschreibt die gegenwärtige Situation der Beziehungen zwischen den der EU angehörenden Nationen als einen »friedlichen Naturzustand«. Der könne nur durch eine europäische »Staatenbildung« überwunden werden, die sich allerdings nicht nach dem Muster des Nationalstaates richten dürfe. Aber selbst ein so skeptischer Beobachter wie Offe kommt zu dem Schluss, dass es einer »Organisationsmacht« bedarf, die »durch positive Integration« die Grundlagen zu einer europäischen Gesellschaft legt.[18]

II. Aber kann die Europäische Union staatliche Qualitäten annehmen?

Soviel zu den Gründen, die das politische Ziel einer föderalistischen, über eine bloße Konföderation hinausweisende europäischen Verfassung rechtfertigen. Eine ganz andere Frage ist es, ob

---

18 C. Offe, »Kann es eine europäische Gesellschaft geben?« *Blätter f. dt. und internat. Politik*, April 2001, 423-435.

Europa die notwendigen empirischen Voraussetzungen für das neue, noch ungeklärte Design eines Staates von Nationalstaaten erfüllen kann. Ich will mich zunächst (1.) mit einem bekannten Einwand der Euroskeptiker auseinandersetzen und dann (2.) auf die Voraussetzungen eingehen, die für eine Politische Union, die selber staatliche Qualitäten annimmt, erfüllt sein müssen.

(1.) Die Euroskeptiker lehnen einen Wechsel der Legitimationsgrundlage von internationalen Verträgen zu einer Europäischen Verfassung mit dem Argument ab, »dass es kein europäisches Volk gibt«.[19] Was zu fehlen scheint, ist das erforderliche Subjekt eines verfassungsgebenden Prozess, also jener Kollektivsingular des »Volkes«, das sich selbst als eine Nation von Staatsbürgern konstituieren könnte. Diese »no-demos-thesis« ist aus begrifflichen und empirischen Gründen kritisiert worden. Die Nation der Staatsbürger darf nicht mit einer vorpolitischen Schicksalsgemeinschaft verwechselt werden, die durch gemeinsame Herkunft, Sprache und Geschichte geprägt ist. Denn damit wird der voluntaristische Charakter einer Staatsbürgernation verfehlt, deren kollektive Identität weder vor, noch überhaupt unabhängig von dem demokratischen Prozess, aus dem sie hervorgeht, existiert.

In diesem Kontrast von Staatsbürger- und Volksnation spiegelt sich auch die große Errungenschaft des demokratischen Nationalstaats, der ja mit dem Status der Staatsbürgerschaft eine völlig neue, nämlich abstrakte, durchs Recht vermittelte Solidarität erst hervorgebracht hat. Historisch betrachtet, ist diese erste moderne, über persönliche Bekanntschaft hinausgreifende Form der sozialen Integration in neuen, medienvermittelten Kommunikationsverhältnissen entstanden. Auch wenn gemeinsame Sprache und Lebensform diesen Prozess der Bewusstseinsbildung erleichtert haben, lässt sich aus dem Umstand, dass sich Demokratie und Nationalstaat im Gleichschritt entwickelt haben, nicht auf die Priorität des Volkes vor der Republik schließen. Das Tandem beleuchtet vielmehr den Kreisprozess, in dessen Verlauf sich nationales Bewusstsein und demokratische Staatsbürgerschaft gegenseitig stabilisiert haben. Beide zusammen haben erst das neue Phänomen einer staatsbürgerlichen Solidarität hervorgebracht,

---

19 E. W. Böckenförde, »Welchen Weg geht Europa?« (C. F. v. Siemens Stiftung), München 1997.

die seitdem den Kitt nationaler Gesellschaften bildet. Das Nationalbewusstsein ist ebenso aus der Massenkommunikation von Zeitungslesern wie aus der massenhaften Mobilisierung von Wehrpflichtigen und Wählern hervorgegangen. Es ist durch die Konstruktion von stolzen Nationalgeschichten nicht weniger geprägt worden als vom öffentlichen Diskurs der um Einfluss und Regierungsmacht kämpfenden politischen Parteien.

Aus dieser Entstehungsgeschichte der europäischen Nationalstaaten lässt sich lernen, dass die neuen Formen der nationalen Identität einen künstlichen Charakter haben, der sich nur unter bestimmten historischen Voraussetzungen während eines längeren, über das ganze 19. Jahrhundert sich erstreckenden Prozesses herausgebildet hat. Diese Identitätsformation verdankt sich einem schmerzlichen Prozess der Abstraktion, der lokale und dynastische Loyalitäten schließlich in dem Bewusstsein demokratischer Staatsbürger, zur selben Nation zu gehören, aufgehoben hat. Wenn das zutrifft, gibt aber es keinen Grund zu der Annahme, dass die Formierung eines solchen Typs staatsbürgerlicher Solidarität an den Grenzen des Nationalstaates Halt machen müsste.

(2.) Die Bedingungen, unter denen das Nationalbewusstsein entstanden ist, erinnern uns allerdings an die empirischen Voraussetzungen, die erfüllt sein müssen, damit sich eine so unwahrscheinliche Identitätsformation auch über die nationalen Grenzen hinaus erweitern kann: (a) die Notwendigkeit einer europäischen Bürgergesellschaft; (b) die Konstruktion einer europaweiten politischen Öffentlichkeit; und (c) die Schaffung einer politischen Kultur, die von allen EU-Bürgern geteilt werden kann. Diese drei funktionalen Erfordernisse einer demokratisch verfassten Europäischen Union lassen sich als Bezugspunkte komplexer, aber konvergierender Entwicklungen verstehen. Diese Prozesse können durch eine Verfassung, die einen gewissermaßen katalysatorischen Effekt hat, beschleunigt und auf den Konvergenzpunkt hin gelenkt werden. Europa muss sozusagen die Logik jenes Kreisprozesses, worin sich der demokratische Staat und die Nation gegenseitig hervorgebracht haben, noch einmal reflexiv auf sich selbst anwenden. Am Anfang stünde ein Verfassungsreferendum, das eine große europaweite Debatte in Gang setzte. Der verfassungsgebende Prozess ist nämlich selbst ein einzigartiges Mittel grenzüberschreitender Kommunikation. Er hat das Potential zu einer *self-fulfilling prophecy*. Eine europäische Verfassung würde nicht nur die Machtverschiebung, die längst stillschweigend stattgefunden hat, manifest machen; sie würde neue Machtkonstellationen fördern.

(a) Betrachten wir zunächst die Aktoren der Bürgergesellschaft. Sobald die Europäische Union eigene Steuern erheben könnte und finanziell autonom würde, sobald sich die Kommission und ein verstetigter Europäischer Rat Regierungsfunktionen teilen würden, müsste ein Straßburger Parlament, das an einer konkurrierenden Gesetzgebung teilnähme, auch in der Lage sein, die jetzt schon bemerkenswerten Kompetenzen besser in Szene zu setzen und größere Aufmerksamkeit auf sich zu ziehen. Dazu ist die volle Budgethoheit klassischer Volksvertretungen nicht einmal nötig. Die Achse der Politik würde sich stärker von den nationalen Hauptstädten nach Brüssel und Straßburg neigen. Das gälte auch für die Arbeit der politischen Parteien, die Tätigkeit der Interessengruppen, die Aktivitäten der Wirtschaftsverbände, für den Lobbyismus der Berufsverbände und der kulturellen und wissenschaftlichen Organisationen, auch für den »Druck der Straße« – für die Proteste, die dann nicht mehr nur von Bauern und Lastkraftfahrern, sondern von Bürgerinitiativen und Bürgerbewegungen ausgehen könnten.

Zudem würden die Interessen, die nach Wirtschaftssektor und Berufsgruppe, nach Konfessionszugehörigkeit und politischer Ideologie, nach Klasse, Region und Geschlecht organisiert sind, über nationale Grenzen hinweg fusionieren. Die wahrgenommene transnationale Überlappung von parallel gelagerten Interessen und Wertorientierungen würde das Entstehen eines europäischen Parteiensystems und grenzüberschreitender Netzwerke befördern. Auf diese Weise würden die territorialen Formen der Organisation so auf funktionale Prinzipien umgestellt, dass Assoziationsverhältnisse entstehen, die den Kern einer europaweiten Zivilgesellschaft bilden.

(b) Das Demokratiedefizit kann freilich nur behoben werden, wenn zugleich eine europäische Öffentlichkeit entsteht, in die der demokratische Prozess eingebettet ist. In komplexen Gesellschaften entsteht demokratische Legitimation aus dem Zusammen-

spiel der institutionalisierten Beratungs- und Entscheidungsprozessen mit der informellen, über Massenmedien laufenden
Meinungsbildung in den Arenen der öffentlichen Kommunikation. Im demokratischen Verfassungsstaat erfüllt die Infrastruktur der Öffentlichkeit idealerweise die Funktion, gesamtgesell-
schaftlich relevante Probleme so in Kristallisationskerne von
Diskursen zu verwandeln, dass die Bürger die Chance erhalten,
sich gleichzeitig auf dieselben, ähnlich gewichteten Themen zu
beziehen und zu kontroversen Beiträgen zustimmend oder ablehnend Stellung zu nehmen. Die meist impliziten und zerstreuten
Ja-/Nein-Stellungnahmen zu mehr oder weniger informierten
und begründeten Alternativen sind die winzigen Partikel, die sich
einerseits zu aktuell einflussreichen Meinungen kumulieren und
andererseits in längerfristigen Einstellungen und demokratischen
Wahlentscheidungen niederschlagen.

Nun bestehen solche Arenen der öffentlichen Meinungs- und
Willensbildung einstweilen nur innerhalb der Nationalstaaten.
Aber man darf sich die fehlende europäische Öffentlichkeit nicht
als die projektive Vergrößerung einer solchen innerstaatlichen
Öffentlichkeit vorstellen. Sie kann nur so entstehen, dass sich die
intakt bleibenden Kommunikationskreisläufe der nationalen
Arenen *füreinander* öffnen. Die Stratifikation von verschiedenen
– regionalen, nationalen und föderalen – Ebenen politischer Meinungsbildung, die den einzelnen Stockwerken des politischen
Mehrebenensystems zugeordnet sind, suggeriert das falsche Bild
der Überlagerung nationaler Öffentlichkeiten durch eine Super-
öffentlichkeit. Stattdessen müssten sich die nationalen, aber in-
einander übersetzten Kommunikationen so miteinander ver-
schränken, dass die relevanten Beiträge osmotisch aus den jeweils
anderen Arenen aufgesogen werden. Auf diese Weise könnten die
europäischen Themen, die bisher unter Ausschluss der Öffentlichkeit verhandelt und entschieden werden, in die miteinander
vernetzten nationalen Arenen Eingang finden.

Die drängende Frage »Can the European Union become a
sphere of publics?«[20] kann nur aus einer transnationalen Perspektive beantwortet werden. Wenn wir nach englischsprachigen Zei-
tungen mit einer multinationalen Leserschaft Ausschau halten,

---

20 So lautet der Titel einer empirischen Analyse von Philip Schlesinger und
   Deidre Kevin, in: Erikson and Fossum (2000), S. 206-229.

stoßen wir auf die Wirtschaftselite, die die *Financial Times* oder den *Economist*, oder auf eine politische Klasse, die die International Herald Tribune (mit einem Digest der *Frankfurter Allgemeine Zeitung*) liest – nicht gerade spezifisch europäische Blätter. Diese Medien bieten kein vielversprechendes Modell für eine grenzüberschreitende Kommunikation. Auf dem Feld der audiovisuellen Kommunikation ist der zweisprachige Fernsehkanal *Arte* schon überzeugender. Auch dieser Versuch orientiert sich freilich immer noch am Bild einer supranationalen Öffentlichkeit, in der sich verschiedene Nationalitäten treffen. Stellen wir uns stattdessen vor, dass sich die Veröffentlichungspraxis, die sich während der Gipfeltreffen des Europäischen Rates eingespielt hat, verstetigt. Auf diese Weise könnten den Bürgern in ganz Europa die gemeinsam interessierenden Fragen nahe gebracht werden. Die nationalen Medien des einen Landes müssen nur die Substanz der in anderen Mitgliedsländern geführten Kontroversen aufnehmen und kommentieren. Dann können sich in allen Ländern parallele Meinungen und Gegenmeinungen an derselben Sorte von Gegenständen, Informationen und Gründen herausbilden, gleichviel woher diese stammen. Dass dabei die horizontal hin und her fließenden Kommunikationen den Filter von wechselseitigen Übersetzungen passieren müssen, beeinträchtigt die wesentliche Funktion der grenzüberschreitenden, aber gemeinsamen politischen Meinungs- und Willensbildung nicht.

Innerhalb der Union gibt es zur Zeit dreizehn verschiedene, offiziell anerkannte Sprachen. Dieser Sprachenpluralismus scheint auf den ersten Blick ein unüberwindliches Hindernis für die Schaffung einer europaweiten politischen Gemeinschaft darzustellen. Der amtliche Multilingualismus der EU-Politik ist der unverzichtbare Ausdruck einer reziproken Anerkennung der Integrität und des gleichen Wertes der verschiedenen nationalen Kulturen. Aber unter dem Deckmantel dieser Garantie ist es umso leichter, face to face Englisch als Arbeitssprache immer dann zu praktizieren, wenn die jeweiligen Parteien über keine andere gemeinsame Sprache verfügen.[21] Nebenbei gesagt bieten kleinere Länder wie Holland, Dänemark, Schweden oder Nor-

---

21 P. A. Kraus, »Von Westfalen nach Kosmopolis. Die Problematik kultureller Identität in der Europäischen Politik«, Berliner Journal f. Soziologie, 2, 2000, S. 203-218; ders., »Political Unity and linguistic Diversity in Europe«, Arch. europ. sociol., XLI, 2000, S. 138-163.

wegen gute Beispiele für ein Schulsystem, das Englisch als zweite Erstsprache in der ganzen Bevölkerung etabliert hat.[22]

(c) Die europaweite politische Öffentlichkeit ist einerseits auf die vitalen Eingaben zivilgesellschaftlicher Aktoren angewiesen; aber sie bedarf ihrerseits der Einbettung in eine gemeinsame politische Kultur. Auch wenn die Intellektuellen offenbar bis zum 19. Jahrhundert keinen Grund dafür gesehen haben, über Idee und Wesen Europas nachzudenken,[23] wird darüber inzwischen eine bekümmerte Debatte geführt.[24] Der Kummer besteht darin, dass die Errungenschaften der europäischer Kultur weltweite Verbreitung gefunden haben. Das gilt für das missionierende Christentum ebenso wie für die säkularen Errungenschaften von Wissenschaft und Technik, von römischem Recht und Code Napoleon, von Nationalstaat, Demokratie und Menschenrechten. Lassen Sie mich gleichwohl an zwei spezifische Erfahrungen erinnern, die in Europa ein bemerkenswertes Echo gefunden haben. Europa ist in seiner Geschichte mehr als andere Kulturen mit tief reichenden, strukturell verankerten Konflikten und Spannungen konfrontiert worden, und zwar sowohl in der sozialen wie in der zeitlichen Dimension. Daraus erklären sich gewiss auch die aggressive Bereitschaft zur Expansion und ein hohes Potential an Gewaltsamkeit. Aber in unserem Zusammenhang interessiert mich, dass die Europäer auf solche Herausforderungen auch produktiv reagiert und dabei vor allem zwei Dinge gelernt haben: mit stabilisierten Dauerkonflikten zu leben und eine reflexive Einstellung gegenüber eigenen Überlieferungen einzunehmen.

In der sozialen Dimension hat das moderne Europa Verfahren und Institutionen für den Umgang mit intellektuellen, sozialen und politischen Konflikten entwickelt. Im Verlaufe von schmerzhaften und oft schicksalhaften Verstrickungen hat Europa gelernt, mit der Konkurrenz zwischen geistlichen und säkularen Mächten, mit der Spaltung zwischen Glauben und Wissen, mit

---

22 Kraus erwähnt eine Umfrage, wonach bereits die Mehrheit der Deutschschweizer den beiden anderen Landessprachen Englisch als gemeinsame Verkehrssprache vorzieht.

23 P. den Boer, »Europe as an Idea«, European Review, Vol. 6, Oct. 1998, S. 395-402.

24 R. Viehoff, R. T. Segers (Hg.), *Kultur, Identität, Europa*, Frankfurt a. M. 1999.

dem endemischen Streit der Konfessionen, mit den Gegensätzen zwischen Stadt und Land, Hof und Stadt, town and gown, am Ende auch mit der Feindschaft und Rivalität zwischen kriegslüsternen Nationalstaaten fertig zu werden. Das ist uns dadurch gelungen, dass wir diese Konflikte nicht etwa aufgelöst, sondern durch Ritualisierung auf Dauer gestellt und zur Quelle von innovativen Energien gemacht haben. Mit dem Konzept der Anerkennung von reasonable disagreements also vernünftigerweise zu erwartenden Nicht-Übereinstimmungen wird diese dialektische Lösungsstrategie auf den Begriff gebracht.

Auf die *in der zeitlichen Dimension* erfahrenen Brüche, Diskontinuitäten und Spannungen, die allen Modernisierungsprozessen innewohnen, hat das Europa der Französischen Revolution mit der Einrichtung eines ideologischen Wettbewerbs zwischen politischen Parteien geantwortet. Das klassische Parteiensystem sorgt für die Reproduktion eines breiten Spektrums von konservativen, liberalen und sozialistischen Deutungen der kapitalistischen Modernisierung. Im Gefolge der heroischen intellektuellen Aneignung eines unvergleichlich reichen jüdischen und griechischen, römischen und christlichen Erbes hat Europa gelernt, wie man immer wieder eine sensible Einstellung zum Janusgesicht der Moderne finden kann. Es geht darum, gleichzeitig auf zwei konträre Aspekte Rücksicht zu nehmen: einerseits auf die beklagenswerten Verluste der Desintegration schützender traditionaler Lebensformen, andererseits auf die künftigen Gewinne, die heute die Prozesse schöpferischer Zerstörung für morgen in Aussicht stellen. Das hat auch die Reflexion auf die blinden Flecke im eigenen, vermeintlich universalistischen Blickfeld angestachelt und zu einer fortschreitenden Dezentrierung der immer wieder als selektiv erkannten Perspektiven geführt. Diese Art von Reflexivität steht nicht im Widderspruch zu einem verheerenden Eurozentrismus, er ist nur dessen andere, bessere Seite.

Jedenfalls ist der egalitäre und individualistische Universalismus, der bis heute unser normatives Selbstverständnis prägt, nicht die geringste unter den Errungenschaften der europäischen Moderne. Die Tatsache, dass die Todesstrafe andernorts noch praktiziert wird, erinnert uns an spezifische Züge unseres eigenen normativen Bewusstseins: »The *Council of Europe* with the European Convention of Human Rights, and its European Social Charter, have transformed Europe into an area of human rights, more specific and more binding than in any other area of the world... The clear and general European support for an International Crimes Tribunal, again in contrast to US fears, is also in the same line.«[25] Was den Kern der europäischen Identität ausmacht, ist freilich mehr der Charakter der Lernprozesse als deren Ergebnis. Die Erinnerung an den moralischen Abgrund, in den uns der nationalistische Exzess geführt hat, verleiht unserem heutigen Engagement den Stellenwert einer Errungenschaft. Dieser historische Hintergrund könnte den Übergang zu einer postnationalen Demokratie ebnen, die auf der gegenseitigen Anerkennung der Differenzen zwischen stolzen Nationalkulturen beruht. Weder »Assimilation« noch bloße »Koexistenz« (im Sinne eines wackeligen modus vivendi) sind die Modelle, die zu dieser Geschichte passen – zu einer Geschichte, die uns gelehrt hat, wie wir immer abstraktere Formen einer »Solidarität unter Fremden« herstellen können.

Das neue Bewusstsein von Gemeinsamkeit hat in der EU-Menschenrechtscharta seinen Ausdruck gefunden. Die Mitglieder des »Konvents« haben sich in bemerkenswert kurzer Zeit auf dieses Dokument geeinigt. Obwohl die 6. Konferenz von Nizza diesen Katalog von Grundrechten nur proklamiert und nicht bindend verabschiedet hat, wird die Charta die Rechtsprechung des Europäischen Gerichtshofes beeinflussen. Diese war bisher vor allem mit den Implikationen der vier Marktfreiheiten befasst. Die Charta weist mit ihren sozialen Bestimmungen über diese ökonomisch begrenzte Perspektive hinaus. Das Dokument zeigt exemplarisch, was die europäischen Bürger normativ zusammenhält. Im Hinblick auf die gentechnischen Entwicklungen bestimmt beispielsweise Artikel 3 das Recht auf körperliche und geistige Unversehrtheit auch dahingehend, dass jede Form der positiven Eugenik und das Verfahren des Klonens menschlicher Organismen verboten sind.

III. Was heisst Euro-Föderalismus?

Nehmen wir einmal an, dass wir für eine Fortsetzung der Europäischen Einigung überzeugende Gründe haben und dass die em-

---

25 Therborn, in: Cerutti and Rudolph (2000), Vol. 2, S. 49f.

pirischen Voraussetzung für ein politisch verfasstes Europa grundsätzlich geschaffen werden könnten. Auch dann bleibt eine voluntaristische Leerstelle, die durch den politischen Willen handlungsfähiger Aktoren ausgefüllt werden müsste. Die überwiegend ablehnende oder wenigstens zögernde Bevölkerung kann für Europa nur gewonnen werden, wenn das Projekt aus der blassen Abstraktion von Verwaltungsmaßnahmen und Expertengesprächen herausgelöst, also politisiert wird. Die Intellektuellen haben den Ball nicht aufgenommen, erst recht wollten sich die Politiker die Finger nicht an einem ungeliebten Thema verbrennen. Umso bemerkenswerter ist es, dass Joschka Fischers Rede an der Humboldt-Universität (vom 12. Mai 2000) den Anstoß zu einer Verfassungsdebatte gegeben hat.[26] Auf seine Frage, wie wir zwischen dem Europa der Staaten und dem Europa der Bürger die richtige Verbindung herstellen können, haben Chirac und Prodi, Rau und Schröder mit eigenen Anregungen reagiert. Aber erst Jospin hat klar gemacht, dass eine Reform von Verfahren und Institutionen nicht gelingen kann, bevor nicht der Inhalt des politischen Projekts klarere Konturen annimmt.

Die betont nationale Orientierung der Bush-Regierung kann man auch als eine Chance für die EU betrachten, ihre gemeinsame Außen- und Sicherheitspolitik im Hinblick auf die Konflikte im Nahen Osten und auf dem Balkan wie auch im Verhältnis zu Russland und China stärker zu profilieren. Die offener zu Tage tretenden Differenzen in der Umwelt-, der Rüstungs- und der Rechtspolitik tragen zur lautlosen Festigung einer europäischen Identität bei. Wichtiger noch ist die Frage, welche Rolle Europa im Sicherheitsrat und vor allem in den Institutionen des Weltwirtschaftsregimes spielen will. In der Begründung humanitärer Interventionen, vor allem aber in den wirtschaftspolitischen Grundorientierungen sind allerdings die Bruchlinien zwischen den EU-Gründungsstaaten auf der einen, Großbritannien und Skandinavien auf der anderen Seite vorgezeichnet. Aber es ist besser, diese schwelenden Konflikte offen auszutragen, statt die EU an ihren unbewältigten Dilemmata zerbrechen zu lassen. Besser als ein Zerbrechen oder Zerbröseln ist allemal ein Europa der zwei oder drei Geschwindigkeiten.

Jospins Wink mit dem in Nizza vereinbarten »Mechanismus

26 J. Fischer, *Vom Staatenverbund zur Föderation*, Frankfurt a. M. 2000.

der verstärkten Zusammenarbeit« war unmissverständlich: »Zur Anwendung kommen könnte er selbstverständlich bei der Koordinierung der Wirtschaftspolitik in der Euro-Gruppe, aber auch in Bereichen wie dem Gesundheitswesen und der Rüstung. Mit diesen Kooperationen kann eine Gruppe von Staaten dem Aufbau Europas erneut die Stoßkraft verleihen, die seit jeher unerlässlich ist.« Eine nüchterne Interessenabwägung kann die französische und die deutsche Regierung veranlassen, nach der anstehenden Präsidenten- und Bundestagswahl erneut die Initiative zu ergreifen. Die *International Herald Tribune* gibt dazu den trockenen Kommentar: »In the last resort, the French will be prepared to pay a certain price for Berlin not becoming the capital of Europe.« (June, 12, 2001) Auf der Linie Genscher-Fischer'schen Außenpolitik sind wir klug beraten, dem zuzustimmen.

Die Diplomatie ist in eine Sackgasse geraten. Deshalb kann die überfällige institutionelle Reform aus einer offenen politischen Kontroverse über die Richtung, in der sich die EU weiter entwickkeln soll, nur Nutzen ziehen. Der verfassungsrechtliche Streit zwischen »Föderalisten« und »Souveränisten« verschleiert den substantiellen Streit zwischen denen, die eine Harmonisierung wichtiger einzelstaatlicher Politiken für vordringlich halten, und denen, die eine Fassade aus maßgeschneiderten zentralen Institutionen von allen steuerungspolitisch wichtigen Funktionen entlasten möchten. Alle Seiten behandeln mit Recht die Abgrenzung der Kompetenzen zwischen der föderalen, der nationalen und der regionalen Ebene als die politische Kernfrage, die im Organisationsteil der Verfassung zu regeln ist. Es besteht Konsens darüber, dass die historisch gewachsenen Nationalstaaten eine wesentlich stärkere Stellung behalten müssen, als die konstitutiven Bestandteile eines Bundesstaates normalerweise haben. Das heute noch vorherrschende Element der zwischenstaatlichen Kompromissbildung wird auch in seiner verfassungsrechtlich disziplinierten Form stark bleiben.[27]

Daher würde eine Nationalitätenkammer, die den Europäischen Rat zu einem Senat verstetigte, nicht nur in Konkurrenz und Zusammenarbeit mit dem Parlament eine gesetzgebende

---

27 In dieser Hinsicht ist Artikel 3 der neuen Schweizer Bundesverfassung bemerkenswert: »Die Kantone sind souverän, soweit ihre Souveränität nicht durch die Bundesverfassung eingeschränkt ist; sie üben alle Rechte aus, die nicht dem Bund übertragen sind. «

Institution sein, sondern auch einen direkten Zugriff auf die – ihrerseits zur politisch legitimierten Exekutive ausgestaltete – Kommission behalten. Beide Instanzen würden sich gewissermaßen die Regierungsfunktionen eines starken Präsidenten, dem ein nach einheitlichem Recht direkt gewähltes Parlament gegenübersteht, teilen. Das Parlament würde im Hinblick auf diese Teilung der Gewalten und angesichts eines (auf europäischer Ebene) schwach ausgeprägten Parteiensystems eher dem amerikanischen Kongress ähneln. Auch der Europäische Gerichtshof würde als rechtsfortbildende Institution seinen Einfluss noch vergrößern und vielleicht eine ähnliche Stellung einnehmen wie der *Supreme Court*. Die enorm gesteigerte Komplexität der regelungsbedürftigen Materien erfordert nämlich detaillierende Interpretationen einer Verfassung, die ja den Wildwuchs der internationalen Verträge auf abstrakte Grundsätze reduzieren muss.[28]

Zu der ausgedehnten verfahrensrechtlichen Debatte möchte ich drei Überlegungen beisteuern.

(a) Die politische Substanz einer künftigen Verfassung besteht in der definitiven Antwort auf die Frage der territorialen Ausdehnung der EU und in einer nicht allzu definitiven Antwort auf die Frage der Kompetenzabgrenzung innerhalb des politischen Mehrebenensystems.

Die Festlegung definitiver Grenzen ist mit der »variablen Geometrie« einer mehr oder weniger beschleunigten Integration der Mitgliedstaaten vereinbar. Ein Europa der verschiedenen Geschwindigkeiten, das sich vorübergehend nach Kern und Peripherie gliedert, könnte auch die mit der Osterweiterung verbundenen Probleme mildern. Die umstrittene Kompetenzabgrenzung sollte alsbald vorgenommen, aber für Revisionen offen gehalten werden. Auf diese Weise wird man experimentieren und auch innerhalb eines festen Rahmens aus unvorhergesehenen Konsequenzen lernen können. Diese Temporalisierung von einzelnen, wenn auch zentralen Bestimmungen entspricht übrigens einem dynamischen Verständnis der demokratischen Verfassung

---

28 Vgl. den vorsichtigen Versuch des Europäischen Hochschulinstituts in Florenz: *Ein Basisvertrag für die Europäische Union*, Druck der Europäischen Gemeinschaften, Mai 2000.

als eines auf Dauer gestellten Prozesses der immer weiteren Ausschöpfung des Systems von Grundrechten.[29]

(b) »Subsidiarität« ist das viel beschworene funktionale Prinzip,
das der Eigenständigkeit der Nationalstaaten Rechnung tragen
kann. Je größer freilich die Unterschiede in Territorium und Be-
völkerungszahl, politischer Macht und ökonomischem Entwick-
lungsstand, Kultur und Lebensform sind, umso größer ist die
Gefahr, dass Mehrheitsentscheidungen das Prinzip der gleichberechtigten Koexistenz verletzen. Deshalb müssen alle für
die Wahrung der nationalen Integrität empfindlichen Bereiche
dem Mehrheitsprinzip entzogen werden. In versäulten Konsens-
demokratien leiden allerdings politische Entscheidungen noto-
risch an Transparenz. Daher müsste man europaweite Referen-
den in Betracht ziehen, um den Bürgern eine bessere Möglichkeit
zur Einflussnahme auf die Gestaltung von Politiken einzuräu-
men.[30]

(c) Sowohl Fischer wie Jospin greifen die Idee einer Querverbin-
dung zwischen den nationalen Parlamenten auf. Dem demokratischen Defizit wollen sie dadurch begegnen, dass die einzelstaatlichen Parlamente spiegelbildlich zur Vereinigung der Regierungen
im Rat miteinander verzahnt werden. Der über das Europäische
Parlament laufende Legitimationszug würde verstärkt, wenn entweder ein Teil der Europa-Parlamentarier zugleich ihren jeweiligen nationalen Volksvertretungen angehörte oder wenn die
bisher weithin vernachlässigte Konferenz des Komitees für Europäische Angelegenheiten den horizontalen Austausch zwischen
den nationalen Parlamenten wiederbeleben könnte.[31] Andere
Überlegungen bringen alternative Wege der Legitimation ins
Spiel. Der als »Komitologie« gekennzeichnete Ansatz schreibt

29 J. Habermas, *Faktizität und Geltung*, Frankfurt a. M. 1992, Kap. 9.
30 E. Grande, »Post-National Democracy in Europe«, in: Th. Greven, L. W.
   Pauly (Eds.), *Democracy beyond the State?*, Oxford 2000, S. 115-138; ders.,
   »Demokratische Legitimation und europäische Integration«, Leviathan,
   24, 1996, S. 339-360.
31 Das scheint realistischer zu sein als Jospins Vorschlag, mit einem aus den
   nationalen Parlamenten beschickten »Kongress« eine weitere Institution
   zu schaffen. Vgl. L. Chr. Blichner, »Interparliamentary discourse and the
   quest for legitimacy«, in: Erikson and Fossum (2000), S. 140-163.

beispielsweise den Beratungen jener Vielzahl von Komitees, die der Kommission zuarbeiten, das Verdienst einer legitimitätserzeugenden deliberativen Politik zu.[32]

32 Chr. Joerges, M. Everson, »Challenging the bureaucratic challenge«, in: Erikson and Fossum (2000), S. 164-188.

V.
Eine Frage der Politischen Theorie

Die Frage nach dem Verhältnis von Volkssouveränität und Menschenrechten findet in der liberalen Tradition eine anders akzentuierte Antwort als in der republikanischen. Die freundschaftliche Kritik des in Harvard lehrenden Staatsrechtslehrers Frank Michelman gibt mir den Anlass zu einem erneuten Versuch, den Grundgedanken von »Faktizität und Geltung« – eine diskurstheoretische Erklärung der Gleichursprünglichkeit von Demokratie und Rechtsstaat – so transparent wie möglich darzustellen.

8. Der demokratische Rechtsstaat – eine paradoxe Verbindung widersprüchlicher Prinzipien?

(1.) Die moderne Auffassung von Demokratie unterscheidet sich von der klassischen durch den Bezug zu einem Typus von Recht, das sich durch drei Merkmale auszeichnet: modernes Recht ist positives, zwingendes und individualistisch strukturiertes Recht. Es besteht aus Normen, die durch einen Gesetzgeber erzeugt werden, staatlich sanktioniert sind und auf die Gewährleistung subjektiver Freiheiten abzielen. Nach liberaler Auffassung kann sich die demokratische Selbstbestimmung der Bürger nur über das strukturell freiheitssichernde Medium dieses Rechts verwirklichen, sodass die Idee einer »Herrschaft der Gesetze« (rule of law), die historisch im Gedanken der Menschenrechte ihren Ausdruck gefunden hat, neben – und zusammen mit – der Volkssouveränität als eine *zweite* Legitimationsquelle auf den Plan tritt. Das wirft die Frage nach dem Verhältnis von demokratischem Prinzip und Rechtsstaatlichkeit auf.

Nach der klassischen Auffassung sind die Gesetze der Republik Ausdruck des *uneingeschränkten* Willens der vereinigten Bürgern. Wie immer sich auch das vorgängige Ethos der gemeinsamen politischen Lebensform in den Gesetzen spiegeln mag, es bildet insofern keine Beschränkung, als es nur über den Prozess der Willensbildung der Bürger selbst zur Geltung gelangt. Hingegen scheint das Prinzip der rechtsstaatlichen Herrschaftsausübung der souveränen Selbstbestimmung des Volkes Schranken aufzuerlegen. Die »Herrschaft der Gesetze« fordert, dass die demokratische Willensbildung nicht gegen die Menschenrechte, die als Grundrechte positiviert sind, verstoßen darf. In der Geschichte der politischen Philosophie treten die beiden Legitimationsquellen des demokratischen Rechtsstaates denn auch in Konkurrenz miteinander. Liberalismus und Republikanismus streiten sich darüber, ob in der Reihenfolge der Begründung die »Freiheit der Modernen« oder die »Freiheit der Alten« Priorität genießen soll. Was kommt zuerst – die subjektiven Freiheitsrechte der Bürger der modernen Wirtschaftsgesellschaft oder die politischen Teilnahmerechte der demokratischen Staatsbürger?

Die eine Seite pocht darauf, dass die private Autonomie der Bürger in Grundrechten Gestalt annimmt, die – in ihrem Wesensgehalt »unabänderlich« – die anonyme Herrschaft der Gesetze gewährleistet. Nach Auffassung der anderen Seite verkörpert sich die politische Autonomie der Bürger in der Selbstorganisation einer Gemeinschaft, die sich aus freien Stücken ihre eigenen Gesetze gibt. Wenn die normative Begründung des demokratischen Rechtsstaates konsistent sein soll, muss anscheinend zwischen den konkurrierenden Prinzipien – Menschenrechten und Volkssouveränität – ein Vorrang hergestellt werden. Entweder sind die Gesetze einschließlich des Grundgesetzes nur dann legitim, wenn sie mit den Menschenrechten übereinstimmen, gleichviel worauf sich deren Legitimität gründet. Dann darf der demokratische Gesetzgeber nur innerhalb dieser Grenzen souverän entscheiden, sodass das Prinzip der Volkssouveränität Schaden nimmt. Oder Gesetze, einschließlich des Grundgesetzes, sind nur dann legitim, wenn sie aus demokratischer Willensbildung hervorgehen. Dann kann sich der demokratische Gesetzgeber eine beliebige Verfassung geben und gegebenenfalls auch gegen das eigene Grundgesetz verstoßen, sodass die Idee der Rechtsstaatlichkeit zu Schaden kommt.

Freilich widerspricht diese Alternative einer starken Intuition.[1] Die in Grundrechten ausbuchstabierte Idee der Menschenrechte darf weder dem souveränen Gesetzgeber als Beschränkung gleichsam von außen auferlegt noch als funktionales Requisit für dessen Zwecke bloß instrumentalisiert werden. In gewisser Weise betrachten wir beide Prinzipien als gleich ursprünglich. Eines ist ohne das andere nicht möglich, ohne dass eines dem anderen Schranken zieht. Die Intuition der »Gleichursprünglichkeit« lässt sich auch so ausdrücken, dass sich private und öffentliche Autonomie gegenseitig erfordern. Beide Begriffe sind interdependent, stehen in einer Beziehung der materialen Implikation. Die Staatsbürger können von ihrer durch politische Rechte garantierten öffentlichen Autonomie nur einen *angemessenen* Gebrauch machen, wenn sie aufgrund einer gleichmäßig gesicherten privatautonomen Lebensgestaltung hinreichend unabhängig sind. Aber die Gesellschaftsbürger kommen nur dann in den gleichmäßigen

---

1 J. Habermas, »Über den internen Zusammenhang von Rechtsstaat und Demokratie«, in: ders., *Die Einbeziehung des Anderen*, Frankfurt a. M. 1996, S. 293-305.

Genuss ihrer gleichmäßigen Privatautonomie – die gleich verteilten subjektiven Handlungsfreiheiten haben für sie den »gleichen Wert« –, wenn sie als Staatsbürger von ihrer politischen Autonomie einen angemessenen Gebrauch machen.

Diese Intuition haben Rousseau und Kant auf den Begriff der Autonomie gebracht.[2] Die Idee, dass sich die Adressaten des Rechts zugleich als dessen Autoren müssen verstehen können, stellt den vereinigten Bürgern eines demokratischen Gemeinwesens keinen voluntaristischen Freibrief für beliebige Entscheidungen aus. Die rechtliche Garantie, im Rahmen der Gesetze tun und lassen zu können, was man will, ist der Kern der privaten, nicht der öffentlichen Autonomie. Den Staatsbürgern wird auf der Basis dieser Willkürfreiheit vielmehr Autonomie im Sinne einer *vernünftigen* Willensbildung zugemutet – auch wenn ihnen diese nur angesonnen, nicht von ihnen legal gefordert werden kann. Sie sollen ihren Willen an genau die Gesetze binden, die sie sich in der Folge ihres diskursiv erzielten gemeinsamen Willens selber geben. Die richtig verstandene Idee der Selbstgesetzgebung stellt eine interne Verbindung zwischen Wille und Vernunft dadurch her, dass die Freiheit aller – die *Selbst*gesetzgebung – von der *gleichmäßigen* Berücksichtigung der individuellen Freiheit eines jeden, mit Ja oder Nein Stellung zu nehmen – der Selbst*gesetz*gebung –, abhängig gemacht wird. Unter dieser Bedingung können nur solche Gesetze, die im gleichmäßigen Interesse eines jeden liegen, die vernünftige Zustimmung aller finden.

Weder Rousseau noch Kant haben allerdings den Begriff der Autonomie für die Begründung der rechtsstaatlich verfassten Demokratie auf eine unzweideutige Weise fruchtbar machen können. Rousseau hat dem Volkswillen durch die Bindung des demokratischen Prozesses an die Form abstrakt-allgemeiner Gesetze Vernunft eingeschrieben, während Kant dieses Ziel durch die Unterordnung des Rechts unter die Moral erreichen wollte. Jedoch kann sich dieser interne Zusammenhang von Wille und Vernunft, wie noch zu zeigen ist, nur in der Dimension der Zeit – als ein sich selbst korrigierender geschichtlichen Prozess – entfalten.

Gewiss, Kant hat sich im »Streit der Fakultäten« über die systematisch gezogenen Grenzen seiner eigenen Philosophie hinweggesetzt und der Französischen Revolution den Rang eines »Ge-

2 I. Maus, *Zur Aufklärung der Demokratietheorie*, Frankfurt a. M. 1992.

schichtszeichens« – für die Möglichkeit eines moralischen Fortschritts der Menschheit – zugebilligt. Aber in der Theorie selbst haben die verfassungsgebenden Versammlungen von Philadelphia und Paris keine Spur hinterlassen – jedenfalls nicht die *vernünftige* Spur eines großen historischen Doppelereignisses, mit dem, wie wir aus der Retrospektive erkennen, ein ganz neuer Anfang gemacht worden ist. Von ihm ist ein Projekt ausgegangen, das über Jahrhunderte hinweg das Band eines rationalen Verfassungsdiskurses geknüpft hat. Ich möchte an eine jüngere Untersuchung von Frank Michelman anknüpfen,[3] um zu zeigen, dass sich die vermeintlich paradoxe Beziehung zwischen Demokratie und Rechtsstaat in der Dimension der geschichtlichen Zeit auflöst, wenn man die Verfassung als ein Projekt begreift, das den Gründungsakt als einen über Generationen fortgeführten Prozess der Verfassungsgebung verstetigt.

(2.) In politischen Systemen wie den Vereinigten Staate oder der Bundesrepublik Deutschland, die für die Überprüfung der Verfassungsmäßigkeit parlamentarisch verabschiedeter Gesetze eine unabhängige Institution vorsehen, entzünden sich Debatten über das Verhältnis von Demokratie und Rechtsstaat an Funktion und Stellung dieses politisch einflussreichen Organs, eben des Verfassungsgerichts. In den USA wird seit langem eine lebhafte Debatte über die Legitimität der vom Supreme Court in letzter Instanz vorgenommenen Normenkontrolle (judicial review) geführt. Immer wieder sträubt sich die republikanische Überzeugung, dass »alle Staatsgewalt vom Volk ausgeht«, gegen die elitäre Macht von juristischen Experten, die sich allein auf ihre fachliche Kompetenz zur Verfassungsinterpretation berufen können, wenn sie, obgleich sie selbst nicht von demokratischen Mehrheiten legitimiert sind, Entscheidungen einer demokratisch gewählten Legislative aufheben. Diese Problematik sieht Frank Michelman in William J. Brennan, einer großen Figur der jüngeren amerikanischen Verfassungsrechtsprechung, personifiziert. Er beschreibt Brennan als einen Liberalen, der individuelle Freiheitsrechte in einer starken moralischen Lesart verteidigt, ferner als einen Demokraten, der die politischen Teilnahme- und Kommunikationsrechte radikalisiert und sowohl den verstummten und marginalisierten wie

3 Frank Michelman, *Brennan and Democracy*, Princeton 1999.

den abweichenden und opponierenden Stimmen Gehör verschaffen will, auch als einen Sozialdemokraten, der für Fragen der sozialen Gerechtigkeit hoch sensibel ist, und schließlich als einen Pluralisten, der, über ein liberales Toleranzverständnis hinausgehend, für eine differenzempfindliche Politik der Anerkennung kultureller, rassischer und religiöser Minderheiten eintritt. Kurzum, Michelman stellt uns Brennan in den Farben des amerikanischen Pragmatismus als Vorbild eines zeitgenössischen Republikanismus vor, um die uns interessierende Frage zuzuspitzen: Wenn ein überzeugter Demokrat dieser Mentalität in der Rolle eines interventionsfreudigen Bundesverfassungsrichters vom demokratisch zweifelhaften Instrument der Normenkontrolle ausgiebig und ohne Skrupel Gebrauch macht, gibt vielleicht die von ihm geprägte Rechtsprechung das Geheimnis preis, wie das Prinzip der Volkssouveränität mit dem der Rechtsstaatlichkeit zu vereinbaren ist.

Michelman exemplifiziert an Brennan die Rolle eines »responsive judge«, der sich dadurch zu einem *demokratisch unverdächtigen* Interpreten der Verfassung qualifiziert, dass er sein Urteil nach bestem Wissen und Gewissen erst fällt, nachdem er sich neugierig, hermeneutisch sensibel und lernbereit dem korrespondierenden Stimmengewirr der in Zivilgesellschaft und politischer Öffentlichkeit geführten Diskurse so geduldig wie eben möglich ausgesetzt hat. Die Interaktion mit dem großen Publikum, demgegenüber sich der juristische Experte verantwortlich weiß, soll zur demokratischen Legitimation des Urteils eines demokratisch nicht, jedenfalls nicht hinreichend legitimierten Verfassungsrichters beitragen: »It is a question of the interpreter's greater or lesser reliability *and of what we can do to bolster it...* And one condition that you think contributes greatly to reliability is the constant exposure of the interpreter – the moral reader – to the full blast of the sundry opinions on the questions of rightness of one or another interpretation, freely and uninhibitedly produced by assorted members of society listening to what the others have to say out of their diverse life histories, current situations, and perceptions of interest and need.«[4]

Michelman lässt sich offenbar von der Intuition leiten, dass aus der diskursiven Belagerung des Gerichts durch eine mobilisierte

---

4 Michelman (1999), S. 59.

Gesellschaft eine Interaktion hervorgeht, die nach beiden Seiten günstige Folgen hat. Für das nach wie vor unabhängig entscheidende Gericht erweitert sich mit der Basis der Entscheidungsgründe auch die Blickrichtung der Experten, und für die Bürger, die über provokative öffentliche Meinungen Einfluss auf das Gericht nehmen, erhöht sich mindestens die Legitimität des Verfahrens der Entscheidungsfindung. Um zu beurteilen, was diese Modellvorstellung zur Auflösung des vermeintlichen Paradoxes beitragen kann, müsste man die kognitive Rolle, den die diskursive Offensive von Seiten einer erweiterten Rechtsöffentlichkeit für die Entscheidungspraxis des Gerichts spielen, und den funktionalen Beitrag, den sie für die gesellschaftliche Akzeptanz der Urteile haben soll, im Einzelnen analysieren. Aber ich fürchte, dass eher pragmatische Gründe und historische Umstände maßgebend dafür sind, wie die Aufgabe der Normenkontrolle in einem gegebenen Kontext am besten *eingerichtet* werden sollte. Diese Möglichkeiten der Institutionalisierung werden gewiss im Lichte der Prinzipien von Volkssouveränität und Rechtsstaatlichkeit zu beurteilen sein, aber Patentlösungen ergeben sich aus der Konstellation und dem Zusammenspiel dieser Prinzipien nicht.

Für unsere prinzipielle Fragestellung finde ich deshalb den *Weg*, auf dem Michelman zu seinem Modell des »verantwortlich antwortenden« Richters gelangt, interessanter als den Vorschlag selbst. Seit längerem setzt sich Michelman im Wesentlichen mit drei Positionen auseinander (die er durch Ronald Dworkin, Robert Post und meine Person vertreten sieht). Im Folgenden stilisiere ich Argument und Gegenargument in der Weise, dass diese drei Positionen in guter dialektischer Manier »auseinander hervorgehen«.

Nach liberaler Auffassung verlangt der demokratische Gesetzgebungsprozess, wenn er zu legitimen Regelungen führen soll, eine bestimmte Form der rechtlichen Institutionalisierung. Ein solches »Grundgesetz« wird als notwendige und hinreichende Bedingung für den demokratischen Prozesses selbst eingeführt, nicht als dessen Ergebnis: democracy cannot define democracy. Die Beziehung zwischen der Demokratie als der Quelle der Legitimation und einer Rechtsstaatlichkeit, die keiner demokratischen Legitimation bedarf, ist aber keineswegs paradox. Denn konstitutive Regeln, die eine Demokratie erst *möglich machen,* können die demokratische Praxis nicht wie von außen auferlegte

Normen *beschränken*. Eine einfache Klärung der Begriffe bringt das vermeintliche Paradox zum Verschwinden: enabling conditions should not be confused with constraining conditions.

Das Beweisziel, dass die Verfassung der Demokratie gewissermaßen inhärent ist, leuchtet gewiss ein. Aber das vorgetragene Argument reicht zur Begründung nicht aus, weil es sich nur auf den Teil des Grundgesetzes bezieht, der für die Einrichtung der demokratischen Meinungs- und Willensbildung unmittelbar konstitutiv ist – auf die politischen Teilnahme- und Kommunikationsrechte. Aber den Kern der Grundrechte bilden die klassischen Freiheitsrechte – habeas corpus, das Recht auf ungehinderte Religionsausübung, Eigentumsrechte, kurz: alle Freiheitsrechte, die eine autonome Lebensgestaltung und die Verfolgung des eigenen Wohls (pursuit of happiness) garantieren. Diese liberalen Grundrechte schützen offensichtlich Güter, die auch einen *intrinsischen* Wert haben. Sie gehen in der instrumentellen Funktion, die sie für die Ausübung der politischen Bürgerrechte haben können, nicht auf. Weil die klassischen Freiheiten keineswegs primär den Sinn haben, die Qualifikation von Staatsbürgern zu fördern, genügt für die liberalen nicht wie für die politischen Grundrechte die Begründung, dass sie die Demokratie möglich machen.

Nach republikanischer Auffassung wird die Substanz der Verfassung nur dann mit der Souveränität des Volkes nicht in Konkurrenz treten, wenn diese selbst aus einem inklusiven Meinungs- und Willensbildungsprozess der Bürger hervorgeht. Allerdings müssen wir dann die demokratische Selbstbestimmung als eine ungezwungene ethisch-politische Selbstverständigung einer an Freiheit gewohnten Bevölkerung konzipieren. Unter dieser Bedingung nehmen die Prinzipien des Rechtsstaates keinen Schaden, weil sie als integraler Bestandteil eines *demokratischen Ethos* Anerkennung finden. Zwangloser und nachhaltiger als im Falle einer förmlichen juristischen Immunisierung gegen den verfassungsändernden Willen tyrannischer Mehrheiten werden sie in den Motiven und Gesinnungen der Bürger verwurzelt sein. Allein, diese Überlegung macht sich einer petitio principii schuldig. Sie legt nämlich in die Mentalitätsgeschichte und in die politische Kultur des Gemeinwesens genau die liberalen Wertorientierungen hinein, die einen Rechtszwang durch Gewohnheit und moralische Selbstbindung überflüssig machen.

(3.) Einen anderen, und zwar prozeduralistischen Sinn gewinnt die republikanische Auffassung, wenn sich die Vernunfterwartung einer *sich selbst begrenzenden* demokratischen Meinungs- und Willensbildung von den Ressourcen eines schon bestehenden Wertekonsenses auf die Formeigenschaften des demokratischen Prozesses verlagert. Neoaristoteliker müssen sich auf den liberalen Zuschnitt und die traditionsbildende Kraft einer demokratischen Lebensform verlassen; hingegen radikalisieren die Kantischen Republikaner den Gedanken, dass die Idee der Menschenrechte dem Prozess einer vernünftigen Willensbildung selbst *innewohnt:* die Grundrechte sind Antworten auf Anforderungen an eine politische Kommunikation unter Fremden, die die Vermutung auf rational akzeptable Ergebnisse begründet. Die Verfassung gewinnt dadurch den prozeduralen Sinn, Kommunikationsformen einzurichten, die je nach Regelungsbedarf und kontextspezifischer Fragestellung für den öffentlichen Gebrauch der Vernunft und einen fairen Ausgleich von Interessen sorgen. Weil dieses Ensemble von Ermöglichungsbedingungen im Medium des Rechts realisiert werden muss, erstrecken diese sich, wie wir sehen werden, gleichermaßen auf liberale Freiheits- wie auf politische Teilnahmerechte.

Michelman beschreibt die Grundannahmen dieser Konzeption von deliberativer Demokratie nicht ohne Sympathie: »first, a belief that only in the wake of democratic debate can anyone hope to arrive at a reliable approximation to true answers to questions of justice of proposed constitutional norms, understood as consisting in their universalizability of everyone's interests or their hypothetical unanimous acceptability in a democratic discourse; and, second, that only in that way can anyone hope to gain a sufficient grasp of relevant historical conditions to produce for the country in question, in a legally workable form, an apt interpretation of whatever abstract practical norms can pass the justice tests of universalizability and democratic-discursive acceptability.«[5]

Aber Michelman traut auch dieser Auffassung von deliberativer Demokratie die Auflösung der vermeintlich paradoxen Beziehung zwischen Demokratie und Rechtsstaat nicht zu. Das Para-

---

5 F. Michelman, »Constitutional Authorship«, in: L. Alexandert (Ed.), *Constitutionalism: Philosophical Foundations*, Cambridge 1998, S. 64-98, hier S. 90.

dox scheint wiederzukehren, wenn wir die Spur bis zum Akt der Verfassungsgründung zurückverfolgen und prüfen, ob sich aus diskurstheoretischer Sicht die Meinungs- und Willensbildung der verfassungsgebenden Versammlung selbst als ein uneingeschränkt demokratischer Prozess begreifen lässt. An anderem Ort habe ich vorgeschlagen,[6] die normativen Grundlagen des demokratischen Rechtsstaates als das Resultat von Beratungs- und Entscheidungsprozessen zu verstehen, die die Gründer – aus welchen historisch zufälligen Motiven auch immer – in der Absicht aufgenommen haben, eine freiwillige und sich selbst bestimmende Assoziation von freien und gleichen Rechtsgenossen zu schaffen. Sie suchen eine vernünftige Antwort auf die Frage: Welche Rechte müssen wir uns, wenn wir unser Zusammenleben mit Mitteln des positiven Rechts legitim regeln wollen, gegenseitig zuerkennen?

Mit dieser Fragestellung und dem diskursiven Modus der Beratung sind zwei Festlegungen getroffen:

– Zum einen kann nur das als legitim gelten, worauf sich die gleichberechtigt an der Beratung Teilnehmenden aus freien Stücken einigen können – also das, was unter Bedingungen eines rationalen Diskurses die begründete Zustimmung aller findet. Das schließt natürlich Fallibilität nicht aus. Die Suche nach der einzig richtigen Antwort garantiert noch kein richtiges Ergebnis. Allein der diskursive Charakter des Beratungsprozesses kann die Aussicht auf fortgesetzte Selbstkorrekturen und somit die Vermutung auf rational akzeptable Ergebnisse begründen.

– Zum anderen legen sich die Beteiligten mit der spezifischen Fragestellung auf das moderne Recht als Medium für die Regelung ihres Zusammenlebens fest. Der Legitimationsmodus einer allgemeinen unter Diskursbedingungen erzielten Zustimmung bringt erst in Verbindung mit der Idee von Zwangsgesetzen, die gleiche subjektive Freiheiten einräumen, den Kantischen Begriff von politischer Autonomie zur Geltung: Niemand ist in Wahrheit frei, solange nicht alle Bürger unter Gesetzen, die sie sich nach vernünftiger Beratung selbst gegeben haben, die gleichen Freiheiten genießen.

Bevor ich an das System der Grundrechte erinnere, das sich aus diesem diskurstheoretischen Ansatz entwickeln lässt, muss uns

---

6 J. Habermas, *Faktizität und Geltung*, Frankfurt a. M. 1992, S. 151-165.

der Einwand beschäftigen, den Michelman auch gegen diesen dritten, den prozeduralistischen Versuch, die Idee der Menschenrechte mit dem Prinzip der Volkssouveränität in Einklang zu bringen, erhebt. Um das Gewicht dieses interessanten Einwandes zu verstehen, muss man sich die Konsequenzen des Vorschlages klar machen, die Form des demokratischen Rechtsstaats am Leitfaden der *rechtlichen Institutionalisierung* eines weit verzweigten Netzes von Diskursen zu erklären. Im Hinblick auf die politische Meinungs- und Willensbildungsbildung in Arenen der Öffentlichkeit oder in legislativen Körperschaften, im Hinblick auf die juristisch richtige und sachlich informierte Entscheidungspraxis in Gerichten oder Verwaltungen bedürfen öffentliche Diskurse einer jeweils anderen zeitlichen, sozialen und sachlichen Spezifizierung. Michelmans Blick ist auf diese Dimension rechtlicher Regelungen gerichtet – angefangen von den Grundrechten und politischen Wahlrechten über die Bestimmungen des Organisationsteils der Verfassung bis hin zu den Verfahrensrechten und Geschäftsordnungen einzelner Körperschaften.

Je nach regelungsbedürftiger Materie und Entscheidungsbedarf stehen mal die moralischen und rechtlichen Aspekte einer Sache im Vordergrund, mal die ethischen. Mal handelt es sich um empirische Fragen, für die Expertenwissen mobilisert werden muss, mal um pragmatische Fragen, die einen Interessenausgleich, also faire Verhandlungen erfordern. Die Legitimationsprozesse selbst laufen über verschiedene Kommunikationsstufen. Den »wilden« Kommunikationskreisläufen in den nicht-organisierten Öffentlichkeiten stehen die formell geregelten Beratungs- und Entscheidungsprozesse von Gerichten, Parlamenten, Behörden usw. gegenüber. Die rechtlichen Verfahren und Normen für die Einrichtung von Diskursen dürfen allerdings nicht mit den kognitiven Verfahren und Argumentationsmustern verwechselt werden, die den intrinsischen Ablauf der Diskurse selbst steuern.

(4.) Es ist diese rechtliche Dimension der *Einrichtung* von Kommunikationsformen, auf die sich Michelman bezieht, wenn er zu bedenken gibt, dass sich die verfassungsgebende Praxis nicht nach Maßgabe diskurstheoretischer Annahmen rekonstruieren lasse, weil sie sich sonst auf dem zirkulären Wege der rechtlichen Selbstkonstituierung in einen unendlichen Regress verwickeln müsse: »A truly democratic process is itself inescapably a legally conditioned and constituted process. It is constituted, for example, by laws regarding political representation and elections, civil associations, families, freedom of speech, property, access to media, and so on. Thus, in order to confer legitimacy on a set of laws issuing from an actual set of discursive institutions and practices in a country, those institutions and practices would themselves have to be legally constituted in the right way. The laws regarding elections, representation, associations, families, speech, property, and so on, would have to be such as to constitute a process of more or less 'fair' or 'undistorted' democratic political communication, not only in the formal arenas of legislation and adjudication but in civil society at large. The problem is that whether they do or not may itself at any time become a matter of contentious but reasonable disagreement, according to the liberal premise of reasonable interpretative pluralism.«[7]

Die Verfahrenslegitimität der Ergebnisse eines beliebigen Diskurses ist nach Voraussetzung abhängig von der Legitimität der Regeln, nach denen dieser Typ von Diskurs unter zeitlichen, sozialen und sachlichen Gesichtspunkten spezifiziert und eingerichtet worden ist. Wenn prozedurale Legitimität der Maßstab ist, setzt sich das Ergebnis von politischen Wahlen, die Entscheidung von Parlamenten, der Inhalt von Gerichtsbeschlüssen grundsätzlich dem Verdacht aus, im Rahmen einer defizienten Einrichtung nach defizienten Regeln nicht auf die richtige Weise zustande gekommen zu sein. Diese Kette von Legitimationsvoraussetzungen reicht sogar hinter die verfassungsgebende Praxis zurück. Denn die verfassungsgebende Versammlung selbst kann beispielsweise nicht die Legitimität der Regeln verbürgen, nach denen sie ihrerseits konstituiert worden ist. Die Kette schließt sich nicht, und der demokratische Prozess verstrickt sich auf dem Wege einer zirkulären Selbstkonstitution in einen unendlichen Regress.

Diesem Einwand möchte ich nicht mit dem Rekurs auf die fadenscheinige Objektivität letzter moralischer Einsichten begegnen, die den Regress zum Stillstand bringen sollen. Anstelle eines schwer zu verteidigenden moralischen Realismus schlage ich vor, den Regress selbst als den verständlichen Ausdruck des zukunfts-

---

7 Michelman (1998), S. 91; vgl. F. Michelman, »*Jürgen Habermas*: Between Facts and Norms«, Journal of Philosophy, vol. 93, 1996, S. 307-315; s. auch F. Michelman, »Democracy and Positive Liberty«, Boston Review, vol. 21, 1996, S. 3-8.

offenen Charakters der Verfassung demokratischer Rechtsstaaten zu verstehen: Eine Verfassung, die der Quelle ihrer Legitimation zufolge und nicht nur ihrem Inhalt nach demokratisch ist, verstehe ich als ein traditionsbildendes Projekt mit einem klar markierten Anfang in der Zeit. Alle späteren Generationen stehen vor der Aufgabe, die unausgeschöpfte normative Substanz des in der Verfassungsurkunde festgelegten Systems der Rechte zu aktualisieren. Gemäß diesem dynamischen Verfassungsverständnis schreibt die laufende Gesetzgebung das System der Rechte unter Anpassung an die aktuellen Umstände interpretierend fort (und ebnet insoweit die Schwelle zwischen Verfassungsnormen und einfachen Gesetzen ein). Freilich kann diese fehlbare Kontinuierung des Gründungsgeschehens nur dann aus dem Zirkel der bodenlos diskursiven Selbstkonstituierung eines Gemeinwesens ausbrechen, wenn dieser Prozess, der ja gegen kontingente Unterbrechungen und historische Rückfälle nicht gefeit ist, *auf längere Sicht* als ein sich selbst korrigierender Lernprozess verstanden werden kann.

In einem Land wie den USA, das auf eine kontinuierliche, mehr als zweihundertjährige Verfassungsgeschichte zurückblicken kann, gibt es Evidenzen, die diese Lesart unterstützen. Bruce Ackermann verweist auf »heiße« Perioden wie die Zeit des New Deal unter Roosevelt, die vom innovativem Geist gelungener Reformen gekennzeichnet sind. Solche Zeiten des produktiven Umbruchs ermöglichen die seltene Erfahrung von Emanzipation und hinterlassen die Erinnerung an ein lehrreiches historisches Beispiel. Die Zeitgenossen können wahrnehmen, dass bislang diskriminierte Gruppen eine eigene Stimme erhalten und dass bisher unterprivilegierte Klassen instand gesetzt werden, ihr Schicksal selbst in die Hand zu nehmen. Die zunächst hart umstrittenen Reformen werden alle Parteien, wenn erst einmal die Interpretationskämpfe abgeklungen sind, als Errungenschaften anerkennen. Retrospektiv stimmen sie darin überein, dass mit der Einbeziehung marginalisierter Gruppen und mit der Ermächtigung depravierter Klassen die bis dahin nur mangelhaft erfüllten Voraussetzungen für die Legitimität bestehender demokratischer Verfahren verbessert worden sind.

Der Lesart der Verfassungsgeschichte als eines Lernprozesses liegt freilich die nicht-triviale Annahme zugrunde, dass spätere Generationen von *denselben* Maßstäben ausgehen wie die Gründergeneration. Wer seinem Urteil heute die normative Erwartung von vollständiger Inklusion und gegenseitiger Anerkennung sowie die Erwartung gleicher Chancen für die Nutzung gleicher Rechte zugrunde legt, muss davon ausgehen, dass er diese Maßstäbe einer vernünftigen Aneignung der Verfassung und ihrer Interpretationsgeschichte entnehmen kann. Die Nachgeborenen können aus Fehlern der Vergangenheit nur lernen, wenn sie mit ihren Vorfahren »im selben Boot sitzen«. Sie müssen allen vorangehenden Generationen dieselbe Absicht unterstellen, Grundlagen für eine freiwillige Assoziation von Rechtsgenossen, die sich ihre Gesetze selber gibt, zu schaffen und zu erweitern. Alle Beteiligten müssen das Projekt über den Zeitenabstand hinweg als *dasselbe* wiedererkennen und aus *derselben* Perspektive beurteilen könne.

So sieht es auch Michelman: »Constitutional framers can be *our* framers – their history can be our history, their word can command observance from us now on popular sovereignty grounds – only because and insofar as they, in our eyes now, were already on what we judge to be the track of true constitutional reason… In the production of present-day legal authority, constitutional framers have to be figures of rightness for us before they can be figures of history.«[8] Das einigende Band besteht also in der *gemeinsamen* Praxis, auf die wir rekurrieren, wenn wir uns um ein rationales Verständnis des Verfassungstextes bemühen. Der Akt der Verfassungsgründung wird nicht zufällig als ein Einschnitt in der nationalen Geschichte empfunden, weil damit eine welthistorisch neue Art von Praxis begründet worden ist. Der performative Sinn dieser Praxis, die eine sich selbst bestimmende politische Gemeinschaft freier und gleicher Bürger hervorbringen soll, ist im Wortlaut der Verfassung lediglich ausbuchstabiert worden. Er bleibt auf eine fortgesetzte Explikation im Verlauf der Anwendungen, Interpretationen und Ergänzungen der Verfassungsnormen angewiesen.

Dank dieses intuitiv verfügbaren performativen Sinnes kann sich jeder Bürger eines demokratischen Gemeinwesens jederzeit auf die Texte und Entscheidungen der Gründergeneration und ihrer Nachfolger *kritisch* beziehen, wie auch umgekehrt die Perspektive der Gründer einnehmen und kritisch auf die Gegenwart lenken, um zu prüfen, ob die bestehenden Einrichtungen, Prakti-

---

8 Michelman (1998), S. 81.

ken und Verfahren der demokratischen Meinungs- und Willensbildung die notwendigen Bedingungen für einen legitimitätserzeugenden Prozess erfüllen. Philosophen und andere Experten können auf ihre Weise dazu beitragen zu erklären, was es heißt, das Projekt zu verfolgen, eine sich selbstbestimmende Assoziation freier und gleicher Rechtsgenossen zu verwirklichen. Unter dieser Prämisse eröffnet sich mit jedem Gründungsakt auch die Möglichkeit eines Prozesses von sich selbst korrigierenden Versuchen, das System der Rechte immer besser auszuschöpfen.

(5.) Der prima facie einleuchtende Einwand gegen die diskurstheoretische Lesart der demokratischen Selbstkonstitution des Verfassungsstaates lässt sich durch eine Reflexion auf die geschichtliche Dimension der Verwirklichung des Verfassungsprojektes vielleicht entkräften. Aber damit ist noch nicht gezeigt, wie die rechtsstaatlichen Prinzipien der Verfassung der Demokratie als solcher innewohnen. Um nachzuweisen, dass Demokratie und Rechtsstaatlichkeit nicht in einer paradoxen Beziehung stehen, müssen wir erklären, in welchem Sinne die Grundrechte *insgesamt*, und keineswegs nur die politischen Bürgerrechte, für den Prozess der Selbstgesetzgebung konstitutiv sind.

Ähnlich wie die vertragstheoretischen Vorläufer simuliert auch die Diskurstheorie einen Ausgangszustand: Eine beliebige Anzahl von Personen tritt aus freien Stücken in eine verfassungsgebende Praxis ein. Die Fiktion der Freiwilligkeit erfüllt die wichtige Bedingung einer ursprünglichen Gleichheit der beteiligten Parteien, deren »Ja« und »Nein« gleich viel zählt. Die Beteiligten müssen drei weitere Bedingungen erfüllen. Zum einen vereinigen sie sich in dem gemeinsam Entschluss, ihr künftiges Zusammenleben mit Mitteln des positiven Rechts legitim zu regeln. Zum anderen sind sie bereit und in der Lage, an praktischen Diskursen teilzunehmen, also die anspruchvollen pragmatischen Voraussetzungen einer Argumentationspraxis zu erfüllen. Diese Rationalitätsunterstellung beschränkt sich nicht wie in der Tradition des modernen Naturrechts auf Zweckrationalität; sie erstreckt sich auch nicht nur wie bei Rousseau und Kant auf Moralität; sie macht kommunikative Vernunft zur Bedingung.[9] Schließlich ist

9 J. Habermas, »Rationalität der Verständigung«, in: ders., *Wahrheit und Rechtfertigung*, Frankfurt a. M. 1999, S. 102- 137.

mit dem Eintritt in die verfassungsgebende Praxis die Bereitschaft verbunden, den Sinn dieser Praxis ausdrücklich zum Thema zu machen (turning the ressource of the performance into a topic). Die Praxis erschöpft sich nämlich zunächst darin, auf den spezifischen Sinn des Vorhabens zu reflektieren und begrifflich zu explizieren, worauf sich die Beteiligten mit ihrer Praxis überhaupt eingelassen haben. Diese Reflexion macht auf eine Reihe konstruktiver Aufgaben aufmerksam, die erledigt sein müssen, bevor – auf der nächsten Stufe – die verfassungsgebende Arbeit faktisch beginnen kann.

Als erstes wird den Beteiligten klar, dass sie, da sie ihr Vorhaben über das Medium des Rechts realisieren wollen, eine Statusordnung erzeugen müssen, die für jedes künftige Mitglied der Assoziation die Stellung eines Trägers von subjektiven Rechten vorsieht. Eine solche individualistisch zugeschnittene Ordnung positiven und zwingenden Rechts kann es nur geben, wenn gleichzeitig drei Kategorien von Rechten eingeführt werden. Unter Berücksichtigung des Legitimitätserfordernisses allgemeiner Zustimmungsfähigkeit sind dies

(i) Grundrechte (welchen konkreten Inhalts auch immer), die sich aus der autonomen Ausgestaltung des Rechts auf das größtmögliche Maß gleicher individueller Handlungsfreiheiten für jeden ergeben;

(ii) Grundrechte (welchen konkreten Inhalts auch immer), die sich aus der autonomen Ausgestaltung des Status eines Mitglieds in einer freiwilligen Assoziation von Rechtsgenossen ergeben;

(iii) Grundrechte (welchen konkreten Inhalts auch immer), die sich aus der autonomen Ausgestaltung des gleichen individuellen Rechtsschutzes für jeden, also der Einklagbarkeit subjektiver Rechte ergeben.

Diese drei Kategorien von Rechten sind für die Begründung einer im sozialen Raum abgegrenzten Assoziation von Rechtsgenossen erforderlich, welche sich gegenseitig als Träger einklagbarer subjektiver Rechte anerkennen.

In diesen drei Hinsichten antizipieren sich aber die Beteiligten nur in der künftigen Rolle von Nutznießern und *Adressaten* des Rechts. Da sie eine Assoziation von Bürgern begründen wollen, die sich ihre Gesetze selber geben, kommt ihnen nun zu Bewusstsein, dass sie eine vierte Kategorie von Rechten benötigen, um sich gegenseitig auch als *Autoren* dieser Rechte wie des Rechts überhaupt anerkennen zu können. Sie müssen sich, wenn sie am wichtigsten Aspekt ihrer gegenwärtigen Praxis, der Selbstbestimmung, auch in Zukunft festhalten wollen, durch die Einführung politischer Grundrechte selber zu politischen Gesetzgebern ermächtigen. Ohne die drei ersten Kategorien von Grundrechten könnte es so etwas wie Recht nicht geben; aber ohne eine politische Ausgestaltung dieser Kategorien könnte das Recht keine konkreten Inhalte gewinnen. Dafür ist eine andere (freilich zunächst ebenso leere) Kategorie von Rechten nötig, nämlich

(iv) Grundrechte (welchen konkreten Inhalts auch immer), die aus der autonomen Ausgestaltung des Rechts auf eine chancengleiche Teilnahme an der politischen Gesetzgebung hervorgehen.

Es ist wichtig, sich zu erinnern, dass dieses Szenario einen sozusagen in mente ablaufenden Gedankengang nachvollzogen hat – auch wenn dieser sich im Laufe einer Beratungspraxis herauskristallisiert haben sollte. Bisher ist nichts *wirklich* geschehen. Es konnte nichts geschehen; denn bevor die Beteiligten den ersten Akt der Rechtsetzung beschließen, müssen sie sich über das Unternehmen klar werden, zu dem sie sich mit dem Eintritt in eine verfassungsgebende Praxis entschlossen haben. Nachdem sie nun aber den intuitiv gewussten performativen Sinn dieser Praxis begrifflich explizit gemacht haben, wissen sie, dass sie Grundrechte der vier genannten Kategorien sozusagen mit einem Schlage schaffen müssen. Freilich können sie Grundrechte nicht in abstracto erzeugen, sondern immer nur einzelne Grundrechte mit einem konkreten Inhalt. Deshalb müssen die reflexiv in sich gekehrten, bislang gleichsam mit philosophischer Begriffsklärung beschäftigten Teilnehmer hinter dem selbst verhängten Schleier des empirischen Nichtwissens hervorkommen und wahrnehmen, was denn unter gegebenen historischen Umständen überhaupt geregelt werden muss und welche Rechte für diese regelungsbedürftigen Materien erforderlich sind.

Erst wenn sie, sagen wir, mit den unerträglichen Folgen physischer Gewaltanwendung konfrontiert werden, erkennen sie die Notwendigkeit der elementaren Rechte auf körperliche Unversehrtheit oder Freizügigkeit. Beschlüsse kann die verfassungsgebende Versammlung erst fassen, wenn sie die Risiken *sieht*, die ein bestimmtes Bedürfnis nach Sicherheit auf den Plan rufen. Erst mit der Einführung neuer Informationstechnologien entstehen Folgeprobleme, die so etwas wie Datenschutz nötig machen. Erst wenn die relevanten Züge der Umwelt Licht auf unsere Interessen werfen, wird klar, dass wir für die Gestaltung unseres persönlichen und unseres politischen Lebens die Rechte brauchen, die wir kennen – beispielsweise das Recht, Verträge zu schließen und Eigentum zu erwerben, Assoziationen zu bilden und Meinungen öffentlich zu äußern, eine Religion zu bekennen und auszuüben usw.

Wir müssen also zwei Stufen sorgfältig unterscheiden: Erstens die Stufe der begrifflichen Explikation der Sprache subjektiver Rechte, worin sich die gemeinsame Praxis einer sich selbst bestimmenden Assoziation freier und gleicher Rechtsgenossen äußern und worin sich mithin das Prinzip der Volkssouveränität allein verkörpern kann; zweitens die Stufe der Verwirklichung dieses Prinzips durch die Ausübung, den tatsächlichen Vollzug dieser Praxis. Weil die Praxis staatsbürgerlicher Selbstbestimmung als ein auf Dauer gestellter Prozess der Verwirklichung und fortschreitenden Ausgestaltung des Systems grundlegender Rechte begriffen wird, bringt sich in der Idee der Rechtsstaatlichkeit das Prinzip der Volkssouveränität selbst zur Geltung.

Dieses zweistufige Szenario der begrifflichen Genese der Grundrechte führt anschaulich vor Augen, dass die vorbereitenden konzeptuellen Schritte notwendige Anforderungen an eine rechtlich eingerichtete demokratische Selbstgesetzgebung explizieren. Sie bringen diese Praxis selbst zum Ausdruck und sind keine Schranken, der die Praxis unterworfen würde. Nur zusammen mit der Idee der Rechtsstaatlichkeit kann das demokratische Prinzip verwirklicht werden. Beide Prinzipien stehen in einer reziproken Beziehung materialer Implikation.

(6.) Weil Autonomie nicht mit Willkürfreiheit verwechselt werden darf, liegt die »Herrschaft der Gesetze« dem Willen des Souveräns nicht voraus und geht aus diesem auch nicht erst hervor. Sie ist vielmehr der politischen Selbstgesetzgebung so eingeschrieben wie der moralischen Selbstgesetzgebung der Kategorische Imperativ, wonach nur verallgemeinerbare, d. h. allgemein zustimmungsfähige Maximen vernünftig – im Sinne der gleichen Achtung für jeden – legitim sind. Aber während das moralisch handelnde Individuum seinen Willen an die Idee der *Gerechtigkeit* bindet, bedeutet die vernünftige Selbstbindung des politischen Souveräns eine Bindung an legitimes *Recht*. Die praktische

Vernunft, die sich in der »Herrschaft der Gesetze« artikuliert, verbindet sich – als legal ausgeübte Herrschaft – mit den konstitutiven Merkmalen des modernen Rechts. Das erklärt auch, warum sich das Implikationsverhältnis von Volkssouveränität und Rechtsstaatlichkeit im Verhältnis der Autonomie des Staatsbürgers und der Autonomie des Gesellschaftsbürgers spiegelt: eine kann nicht ohne die andere realisiert werden.

Wie die Moral so schützt auch das legitime Recht die gleichmäßige Autonomie eines jeden: kein Individuum ist frei, solange nicht alle Personen die gleiche Freiheit genießen. Aber die Positivität des Rechts erzwingt eine interessante Aufspaltung der Autonomie, für die es im Bereich der Moral kein Gegenstück gibt. Die Verbindlichkeit von Rechtsnormen geht nicht allein auf die Einsicht in das für alle gleichermaßen Gute zurück, sondern auf kollektiv verbindliche Beschlüsse rechtsetzender und rechtsanwendender Instanzen. Daraus ergibt sich die begrifflich notwendige Rollenteilung zwischen Autoren, die Recht setzen und sprechen, sowie Adressaten, die dem geltenden Recht unterworfen sind. Die Autonomie, die im moralischen Bereich sozusagen aus einem Guss ist, tritt im juristischen Bereich in der doppelten Gestalt von privater und öffentlicher Autonomie auf.

Nun kann das moderne Zwangsrecht von seinen Adressaten nur ein legales Verhalten fordern – also ein Verhalten, das ohne Ansehung der Motive mit den Gesetzen in Einklang steht. Weil es keinen Rechtsgehorsam »aus Achtung vor dem Gesetz« verlangen darf, kann die private Autonomie nur in Gestalt von subjektiven Freiheiten gewährleistet werden, die zu einer autonomen Lebensgestaltung *berechtigen* und moralische Rücksichtnahme auf andere *ermöglichen,* aber zu nichts *verpflichten,* als was mit der gleichmäßigen Freiheit eines jeden anderen kompatibel ist. Die Privatautonomie nimmt deshalb die Gestalt rechtlich garantierter Willkürfreiheit an. Andererseits müssen die Rechtspersonen in ihrer Rolle als moralisch handelnde Personen, sofern sie das wollen, dem Recht auch aus Achtung vor dem Gesetz folgen *können.* Schon aus diesem Grunde muss das geltende Recht legitimes Recht sein. Und dieser Bedingung kann es nur dadurch genügen, dass es auf legitime Weise, nämlich nach Verfahren der demokratischen Meinungs- und Willensbildung, zustande kommt, die eine Vermutung auf rationale Akzeptabilität der Ergebnisse begründen. Die Berechtigung zur politischen Partizipation verbindet sich mit der Erwartung eines öffentlichen Gebrauchs der Vernunft: als demokratische Mitgesetzgeber dürfen sich die Staatsbürger dem informellen Ansinnen der Gemeinwohlorientierung nicht verschließen.

Das sieht so aus, als hätte die praktische Vernunft ihren Sitz nur in der Ausübung einer politischen Autonomie, die es den Adressaten des Rechts erlaubt, sich zugleich als dessen Autoren zu verstehen. Tatsächlich realisiert sich die praktische Vernunft in der Gestalt der privaten nicht weniger als in der Gestalt der öffentlichen Autonomie. Beide sind nämlich ebenso sehr Mittel füreinander wie Zwecke an sich selbst. Das mit der öffentlichen Autonomie verknüpfte Ansinnen der Gemeinwohlorientierung ist auch insofern eine rationale Erwartung, als nur der demokratische Prozess gewährleistet, dass die Gesellschaftsbürger gleichmäßig in den Genuss gleicher subjektiver Freiheiten gelangen. Umgekehrt kann nur eine gesicherte Privatautonomie der Gesellschaftsbürger die Staatsbürger instand setzen, von ihrer politischen Autonomie den richtigen Gebrauch zu machen. Die Interdependenz von Rechtsstaatlichkeit und Demokratie kommt in diesem Ergänzungsverhältnis von privater und staatsbürgerlicher Autonomie zum Vorschein: Jede von beiden zehrt von Ressourcen, die sie füreinander darstellen.

VI.
Amerikanischer Pragmatismus und deutsche Philosophie
Drei Rezensionen

Die Übersetzungen eines klassischen Werkes von John Dewey aus dem Jahre 1929, eines patriotischen Traktats meines Freundes Richard Rorty und eines bahnbrechenden neuen Werkes von Robert Brandom haben mich veranlasst, in DIE ZEIT vom 23. Juli 1998, in DIE SÜDDEUTSCHE ZEITUNG vom 27./28. Februar 1999 und in der FRANKFURTER RUNDSCHAU vom 20. Juni 2000 über die eigentümlich verspätete, nun allerdings breitenwirksam nachgeholte Rezeption nachzudenken, die der Pragmatismus in Deutschland erfahren hat.

9. John Dewey:
The Quest for Certainty

Im Rückblick auf das zu Ende gehende Jahrhundert erweisen sich für die deutsche Philosophie die 20er Jahre als das fruchtbarste Jahrzehnt – mit Wittgensteins *Tractatus*, mit Lukács' *Geschichte und Klassenbewusstsein*, mit Cassirers *Philosophie der symbolischen Formen*, Schelers *Die Wissenformen und die Gesellschaft*, Plessners *Die Stufen des Organischen und der Mensch* und, natürlich, mit Heideggers *Sein und Zeit*. Kurz darauf, im Jahre 1929, erschien in den USA ein Buch von ähnlichem Rang: *The Quest for Certainty*, das einflussreichste Werk von John Dewey, der damals mit 70 Jahren auf dem Höhepunkt seines Ruhmes stand. Es hat lange gedauert, bis dieser populäre Klassiker des Pragmatismus nun in der deutschen Übersetzung von Martin Suhr vorliegt.[1] Heute ist Dewey in aller Munde. Auch in Deutschland ist »Pragmatismus« inzwischen vom Schimpfwort zur Auszeichnung avanciert. Die verzögerte Rezeption erinnert freilich an das asymmetrische Verhältnis zwischen Dewey und seinen deutschen Kollegen.

Während Dewey schon als junger Student auf dem College seiner Heimatstadt Burlington (Vermont), einer Hochburg der Transzendentalisten, mit Kant, Fichte, Schelling und Hegel vertraut gemacht wurde, ist die Saat seines eigenen, gewissermaßen naturalisierten Hegelianismus erst spät in der Heimat des deutschen Idealismus aufgegangen. Erst ein, zwei Jahrzehnte nach dem Ende des Zweiten Weltkrieges ist hier der Pragmatismus als lange verkannte Variante des Junghegelianismus und als Quelle wahlverwandter philosophischer Motive ernst genommen worden. Wie sich an den Erscheinungsdaten der Übersetzungen ablesen lässt, war selbst dieser Prozess der Aneignung in den frühen 60er Jahren zunächst stärker auf Charles Sanders Peirce und George Herbert Mead als auf Dewey und James konzentriert. Heute bildet der Pragmatismus in seinen verschiedenen Lesarten die transatlantische Brücke für einen lebhaften philosophischen

1 John Dewey, *Die Suche nach Gewißheit*, Frankfurt a. M. 1998.

Austausch in beiden Richtungen. Wer Die *Suche nach Gewißheit* mit einem rezeptionsgeschichtlichen Interesse liest, findet darin die Erklärung für die Spannungen und Missverständnisse zwischen Dewey und jenen drei Traditionen, die ihm hier zu Lande, wenn auch in jeweils anderen Hinsichten, noch am nächsten standen.

Dewey richtet den Blick auf die Alltagspraxis, in der die Leute mit der Realität »zurechtkommen« und »fertig werden« müssen. Damit gewinnt die Kategorie des »Handelns« einen unerhörten philosophischen Rang. Vor allem richtet Dewey seinen philosophiehistorisch belehrten Blick auf die Nahtstellen zwischen Erkennen und Handeln, um der Philosophie eine neue Rolle zuzuweisen. Er propagiert die Umkehr aus der Weltflucht der klassischen Theorie zum innerweltlichen Engagement. Wissenschaft und Technik beschleunigen unaufhaltsam die Prozesse der Naturbeherrschung und der industriellen Entwicklung. Hier zeigt sich, wie Wissen praktisch werden kann, weil es von Haus aus auf Praxis angelegt ist. Hingegen befinden sich Politik und Erziehung, die Zivilisierung des Umgangs und die Kultivierung des Geschmacks, überhaupt die Selbstorganisation der Gesellschaft in einem kläglichen Zustand, weil eine vergleichbar intelligente Anleitung fehlt – und die Philosophie versagt. Statt die Kluft zwischen dem Höheren und dem Niederen zu stabilisieren, sollte sie der vermeintlichen Gewissheit reiner Theorie entsagen. Sie muss sich auf die Herausforderungen der kontingenten Welt einlassen und mit den Wissenschaften eine Kooperation eingehen, statt sich ihnen gegenüber fundamentalistisch zu verhalten. Nur so kann sie für die »Formen des sozialen und persönlichen Handelns« Horizonte von gesicherten Möglichkeiten artikulieren. Mit dieser Revolutionierung des Selbstverständnisses der Philosophie hat sich Dewey zwischen alle Stühle gesetzt.

Die Frontstellung gegenüber dem logischen Empirismus Carnaps und Reichenbachs ist kaum weniger ausgeprägt als die Gegensätze zum philosophischen Idealismus von Scheler und Heidegger oder zum Antiszientismus von Horkheimer und Adorno. In den USA wird Deweys Philosophie schon im Laufe der dreißiger Jahre von der aus Österreich und Deutschland vertriebenen analytischen Wissenschaftstheorie in gewisser Weise abgelöst. Zwar hatten diese Emigranten für den »wissenschaftlichen Geist«, den sie im Umkreis der Pragmatisten antrafen, große

Sympathie und bemühten sich um die Mitarbeit Deweys an ihrem Projekt der Einheitswissenschaften. Aber als der 80-Jährige 1939 mit dem ersten Band der inzwischen berühmt gewordenen »Library of Living Philosophers« geehrt werden sollte, waren die Stimmen der Empiristen – wie Hans Reichenbachs Beitrag zeigt – schon recht kritisch. Es gab zwei wesentliche Differenzen.

In der *Suche nach Gewissheit* wendet sich Dewey zum einen gegen das empiristische »Zuschauermodell der Erkenntnis«, wonach elementare Empfindungen eine sichere Erfahrungsbasis bieten. Erfahrungen machen wir nur im aktiven Umgang mit einer Realität, an der handlungsleitende Erwartungen scheitern können. Deshalb erschließt sich die Wirklichkeit nicht durch die Rezeption der Sinne, sondern auf konstruktive Weise im Kontext von Handlungsvollzügen. Gegenstände »begreifen« wir nicht unabhängig vom kontrollierten Erfolg absichtlich ausgeführter Handlungen. Darin besteht der Sinn wissenschaftlicher Experimente. Zum anderen kritisiert Dewey die empiristischen Ethiken, die Werturteile auf Gefühle, Impulse oder Entscheidungen zurückführen. Dewey ist vom kognitiven Gehalt der Werturteile überzeugt. Nach seiner Auffassung gewinnen »Urteile über lobens- und erstrebenswerte Dinge« dadurch Objektivität, dass sie sich mit der Kenntnis der Erfolgsbedingungen für eine Praxis verbinden, mit der wir entsprechende Ziele erreichen können.

Mit diesen Überlegungen hat Dewey damals das gewachsene Explikationsbedürfnis einer jüngeren Generation nicht befriedigen können. In den führenden amerikanischen Departments blieb er ein »toter Hund«. Diese Situation begann sich erst zu ändern, als Richard Rorty im Jahre 1979 Dewey neben Wittgenstein und Heidegger als »einen der drei bedeutendsten Philosophen unseres Jahrhunderts« herausstellte. Anders als in den USA war freilich Dewey in Deutschland – außerhalb der Pädagogik und abgesehen von Gehlens Anthropologie – auch in der Vergangenheit nicht präsent gewesen. Gewiss, Max Scheler hatte in seiner Wissenssoziologie auch wichtige Motive des Pragmatismus verarbeitet. Gleichwohl hielt er an einer Hierarchie der Wissensarten fest, wonach das »Herrschafts-« oder »Leistungswissen« – das einzige, das Dewey gelten lässt – dem »Bildungs«- und »Erlösungswissen« untergeordnet bleibt. Scheler selbst ist ein Beispiel für jenen Platonismus, der die Suche nach Gewissheit durch ein metaphysisches Surrogat, die Flucht ins Reich der Ideen befriedigt. Der

Idealismus bestimmt die Kontemplation zum Heilsweg der Philosophen. Dewey meint, dass er damit den Weg zu der einzigen Gewissheit, die wir tatsächlich erreichen können, verfehlt. Die intelligente Bewältigung einer riskanten Welt ist nur auf praktischem Wege möglich.

Auch Heidegger zehrte in *Sein und Zeit*, bei den Analysen von »Zeug«, »Zuhandenheit« und »Bewandtniszusammenhang«, stillschweigend von Einsichten des Pragmatismus. Mit dem Konzept des »In-der-Welt-Seins« teilt er auch die antiplatonische Stoßrichtung des Pragmatismus. Andererseits möchte Heidegger auf diesem Wege die ontologische Dimension des Eigentlichen jenseits eines Alltagslebens erschließen, das er als »ontisch« abwertet. Beim späten Heidegger geraten die platonischen Ideen in den Strudel der seinsgeschichtlichen Ereignisse. Aber die ontologische Differenz bewahrt nun erst recht jenen Chorismos zwischen dem Außeralltäglichen und dem Gewöhnlichen, den Dewey einebnet. Heidegger verbindet mit dem privilegierten Zugang zur Wahrheit, den er für Dichter und Denker reserviert, die Haltung des submissiven »Andenkens« an die Geschicke einer höheren Gewalt. Demgegenüber beginnt Dewey seine Untersuchung mit der Gabelung zweier Wege, auf denen der Mensch »in einer Welt voller Gefahren nach Sicherheit sucht«. Den »Bittgebeten«, an die das fatalistische Seinsdenken erinnert, stellt er die Aktivität von Erfindern gegenüber: »Der andere Weg besteht darin, Künste zu erfinden und mit ihrer Hilfe die Naturkräfte nutzbar zu machen.«

Dieses Vertrauen auf die zivilisatorische Kraft der Naturbeherrschung trennt Dewey schließlich auch von denen, mit denen er zwar die Kritik an der Abspaltung der Theorie von der Praxis teilt, aber eben nicht die Kritik an der »instrumentellen Vernunft«. Die operationalistisch begriffenen Naturwissenschaften sind von Haus aus auf den Erwerb technisch verwertbaren Wissens angelegt. Und der technische Erfolg macht sie für Dewey zum unbezweifelten Vorbild für problemlösendes Verhalten überhaupt. Von der »Übertragung der experimentellen Haltung auf alle Fragen der Praxis« erhofft sich Dewey freilich zu viel, wenn er meint, dass sich auch moralische oder politische Werturteile mit dem Blick auf die Erfolgsbedingungen einer instrumentellen Praxis der Werteverwirklichung begründen lassen. In moralischer Hinsicht hätten ihn die Überlegungen seines Freundes

George Herbert Mead zur Perspektivenübernahme in sozialen Interaktionen weiter führen können.

Immerhin hat Dewey die kognitiven Wurzeln einer lebensweltlichen Praxis freigelegt, die darauf eingerichtet ist, mit dem Zufall und dem Scheitern an einer überraschenden Realität zurechtzukommen. Die Suche nach Gewissheit ist die Kehrseite eines Risikobewusstseins, dem gegenwärtig ist, dass sich nur über eine produktive Verarbeitung von Enttäuschungen und die fortgesetzte Bewältigung von Problemen »passende« Handlungsgewohnheiten herausbilden und verstetigen. Was den Menschen als handelndes Wesen auszeichnet, ist dieses problemlösende Verhalten – zu wissen, wie man eine problematisch gewordene Situation klärt, und zu wissen, dass man sich dabei auf keine andere Autorität verlassen kann als die eigene intelligente Anstrengung.

Allerdings ist Dewey gegen eine tragische Zuspitzung und existentialistische Aufwertung dieser situation humaine gefeit. Er spielt nicht die Tiefe gegen das Flache, das Risiko gegen die Normalität, das Ereignis gegen die Gewöhnlichkeit, die Aura gegen das Triviale aus. Dewey regt nicht auf, er regt an. Als demokratischer Denker ist er egalitär durch und durch. Deshalb konnte er bei uns erst in dem Maße rezipiert werden, wie sich die Bundesrepublik – die »alte«, wie man heute sagt – von den jungkonservativen Stimmungslagen einer exaltierten Vergangenheit löste. Auch für die Berliner Republik wäre er der bessere Patron.

10. Richard Rorty:
Achieving our Country[1]

Richard Rorty ist nicht nur ein renommierter Philosoph, er ist ein philosophischer Schriftsteller mit literarischem Anspruch. Er beherrscht viele Textsorten, neben der akademischen Abhandlung und der fachgerechten Interpretation auch den Essay, die öffentliche Rede und die Polemik. Mit *Achieving our Country* erweitert Rorty sein Repertoire um so etwas wie ein patriotisches Manifest. Das Buch erscheint demnächst in deutscher Übersetzung unter dem Titel »Stolz auf unser Land«. Die Beschwörung der amerikanischen Zivilreligion richtet sich an die Gebildeten unter deren Verächtern. Angeklagt wird eine »kulturelle Linke«, die sich von Heideggers Kulturpessimismus anstecken lässt und im Anblick eines zerrütteten Weltlaufs besserwisserisch-larmoyant die Rolle des tatenlosen Zuschauers übernimmt.

Vier Geschichten sind in dieser säkularisierten Erweckungspredigt verwoben: die politische Biographie des Autors, die Geschichte der Polarisierung zwischen einer Alten und der Neuen Linken, das Klagelied über die Entpolitisierung der neuesten, akademisch domestizierten Linken, schließlich der Gesang auf die große Tradition von Emerson über Walt Whitman zu Dewey, die für alle progressiven Kräfte des Landes das intellektuelle Rückgrat gebildet hat.

Rortys politische Lebensgeschichte ist durch den Antikommunismus der 50er Jahre nicht weniger geprägt als durch die Opposition gegen den Vietnamkrieg. Der kalte Krieg war die legitime Fortsetzung des Krieges gegen den Faschismus. Diese autobiographischen Reflexionen sind in eine Geschichte der amerikanischen Linken eingestreut, die 1964 im tragischen Bruch mit einer »neuen« Linken kulminiert. Aus dem Rückblick verschmilzt das antikommunistische Engagement ehemaliger Trotzkisten während der Nachkriegszeit mit dem älteren Reformismus im frühen 20. Jahrhunderts und dem New Deal der Roosevelt-Ära zum

1 Deutsch: Richard Rorty, *Stolz auf unser Land. Die amerikanische Linke und der Patriotismus*, Frankfurt a. M. 1999.

Ganzen einer »sozialdemokratischen« Bewegung. Diese wiederum gerät in den 60er Jahren mit einer Protestbewegung in Konflikt, die sich gegen das »System« als solches wendet. Aus ihrem scheinrevolutionären Selbstverständnis ziehen die radikalen Studenten zwar die Kraft zu einer erfolgreichen Mobilisierung gegen den unseligen Vietnamkrieg, aber um den Preis des Endes der reformistischen Linken.

Dieses ambivalente Urteil leitet die Geschichte der kulturellen Linken ein. Während der 70er Jahre verlagert sich der nunmehr theoretisch sublimierte Geist der Revolte von den sozialwissenschaftlichen in die literaturwissenschaftlichen Fachbereiche. An die Stelle der Kritik der Politischen Ökonomie tritt die Dekonstruktion philosophischer Texte. Eine gesteigerte Sensibilität für sprachliche Formen der Diskriminierung ersetzt die moralische Empörung über strukturell verankerte soziale Ungleichheiten. Diese Polemik gegen eine »Politik der Differenz«, die vom Geist des Dekonstruktivismus zehrt, ist nicht ohne Pikanterie. Denn im Streit mit den orthodoxen Hochburgen der analytischen Philosophie hatte Rorty selbst, mehr als jeder andere, den Lehren von Heidegger, Foucault und Derrida, deren mentale Folgen er nun beklagt, die Bahn gebrochen. Heute stellt er ernüchtert fest, dass die kulturelle Linke eine »Schule des Ressentiments« gezüchtet hat, in der die Studenten die Entrüstung über soziales Unrecht ebenso verlernen wie jenen Schuss Zuversicht verlieren, den sie nötig hätten, um politisch die Ärmel hochzukrempeln.

In der angestauten Wut über wachsende Armut, Repression und Unduldsamkeit im eigenen Lande steckt das sympathische Motiv, das Rorty zu seiner Kritik anstachelt. Er beklagt den Defaitismus von Leuten, die die klassischen linken Themen fallen lassen und sich in geistreichen Diskursen über *abgeleitete* Konflikte ergehen. Sein Manifest ruft dazu auf, zur eigenen, zur einzig spezifisch amerikanischen Überlieferung des politischen Pragmatismus zurückzukehren. Dieser ist zwar von Europa, in erster Linie vom Deutschen Idealismus inspiriert. Aber der naturalistisch angeeignete Hegel hat in Whitmanns Hymnen und Deweys Werken einen unverkennbar amerikanischen, einen vom Geist der Moderne – der Demokratie, der Wissenschaft, der Technik – beseelten Junghegelianismus hervorgebracht. In Deutschland hat diese Tradition erst nach dem Zweiten Weltkrieg ein hörbares

Echo gefunden – und dem amerikafreundlichen Teil der Linken Impulse gegeben.

Das ist der Hintergrund des rhetorisch glanzvollen Kapitels über Whitman und Dewey, das mit den Worten beginnt: »Nationaler Stolz ist für ganze Länder das, was Selbstachtung für die Individuen ist – eine notwendige Bedingung dafür, den eigenen Bildungsprozess weiterzutreiben.« Als die Kunde von dieser Stanford-Vorlesung zuerst über den Atlantik drang, meinten manche, Grund zu Triumph und Schadenfreude zu haben. Von einer politischen »Wende« des berühmten Philosophen war damals die Rede. Las er nicht seinen politischen Freunden die Leviten? Gab er nicht den vaterlandslosen Kollegen – blutleere Verfassungspatrioten allesamt – die fällige Nachhilfe in Sachen »selbstbewusste Nation«?

Aber Rorty sperrt sich gegen eine Vereinnahmung von rechts. Unsere Neokonservativen haben ja immer schon auf die Nation gesetzt, wenn auch wesentlich aus funktionalen Gründen. In diesem Weltbild figuriert das gesunde Nationalbewusstsein neben Religion und Familie als eine Traditionsmacht, die die sozialen Härten einer munter deregulierten Ökonomie kostenlos kompensiert. Die Schäubles und Stoibers schöpfen aus diesem Ideenreservoir, wenn sie heute die doppelte Staatsbürgerschaft (und morgen die gleichgeschlechtliche Ehe) zum Anlass nehmen, um mit nationalistischen Appellen die trüben xenophoben Affekte eines dumpfen Teils der Bevölkerung für sich zu mobilisieren. Aber diese Rechtspopulisten werden an Rorty's Manifest keine Freude haben. Sein Patriotismus ist frühromantischer Herkunft, nicht von der traditionalistischen Art der alt und fromm gewordenen Romantiker.

Für Rorty ist »Nation« kein naturwüchsiges Substrat, das als Stoßdämpfer die unerwünschten Modernisierungsfolgen abfedert. Für ihn bedeutet Nation den Selbstentwurf einer deliberierenden Bürgergesellschaft – ein fortgesetztes Konstruieren, kein Geschenk der Natur. Nationale Identitäten bilden sich nur im Fluss der öffentlichen Diskurse. Dabei geht es um die Frage, »was wir versuchen sollten, aus uns zu *machen*«. Diese Diskurse sind nicht frei von Gefühlen. Vielmehr erwecken die Geschichte und die aktuelle Politik des eigenen Landes »Gefühle der intensiven Scham und des glühenden Stolzes«. Es scheint so zu sein, dass eine vernünftige ethisch-politische Selbstverständigung der Bürger kaum zustande kommt, »wenn der Stolz die Scham nicht über-wiegt«. Schon auf den ersten Seiten des Buches stehen Sätze, die stutzig machen.

Sie scheinen Wasser auf die Mühlen derer zu leiten, die keinen Neokonservativismus brauchen, um sich nach der Wiederher-stellung von »Normalität« zu sehnen. Neuerdings bekunden ja ehrbare politische und gesellschaftliche Eliten öffentlich ihre Un-fähigkeit zu unterscheiden, was in die Paulskirche und was auf die Couch gehört. Vor laufenden Kameras bestätigen sie einen Schriftsteller, der nicht länger an »unsere Schande« erinnert sein will, mit stehenden Ovationen. Auch der linksliberal ergraute Herausgeber erwehrt sich der wiederaufsteigenden Sentiments seiner Jugend so wenig, dass er über das geplante Denkmal für die ermordeten Juden Europas nur noch stöhnen kann: »Nun soll in der Mitte der wiedergewonnenen Hauptstadt Berlin ein Mahn-mal an unsere fortwährende Schande erinnern.« Auch diese Jahr-gänge finden freilich bei Rorty keinen Zuspruch. Der schlägt ih-nen nämlich ein interessantes Gedankenexperiment vor.

Was macht uns zu moralischen Wesen? Dass es Handlungen gibt, von denen wir wissen, wir sollten eher sterben als *so etwas* zu tun. Nun stelle man sich vor, man *hat* so etwas getan – und lebt immer noch. Der Betroffene steht dann vor der Wahl zwischen Selbstmord oder einem Leben ohne Selbstachtung und anderer-seits dem Versuch, das Leben so weiterzuführen, dass der Vorsatz, »es nie wieder zu tun«, glaubwürdig wird. Rorty empfiehlt diese Alternative auch im Falle politischer Kriminalität, für die die An-gehörigen einer Nation gewissermaßen kollektiv haften. Kein Verbrechen, »das eine Nation begangen hat, macht es für einen demokratischen Verfassungsstaat unmöglich, Selbstachtung wie-derzugewinnen.« Rorty denkt bei diesem Satz zunächst ans ei-gene Land. Aber er denkt auch an das Land, das er besonders gut kennt – an jene »alte« Bundesrepublik, deren Bürger im Laufe der Jahrzehnte gelernt haben, dass ihre Zukunft von bewussten Stel-lungnahmen zur kriminellen Vergangenheit des eigenen Gemein-wesens abhängt.

Rorty plädiert für einen streng säkularisierten Begriff von Po-litik. Er wendet sich gegen ein politisch-theologisches Selbstver-ständnis, das sich um den Begriff der Sünde kristallisiert. Er ermu-tigt seine Leser zu politischem Selbstbewusstsein, zu einem nach vorne gerichteten Engagement, das sich von der Herrschaft der verdrängten Vergangenheit über die Zukunft emanzipiert hat. Wenigstens der optimistische Ton dieses unverfänglich-hemdsärmeligen Pragmatismus scheint in Einklang zu stehen mit der neuesten Stimmung der nun amtierenden Generation. Ist es nicht endlich an der Zeit, die Normalität im Lande der Nachgeborenen ein bisschen forscher hervorzukehren?

Im Jahre 1995, als die Auseinandersetzung mit der Neuen Rechten um die Lesart des 8. Mai 1945 soeben überstanden war, hatte der Buchtitel »Die Normalität einer Berliner Republik« noch einen unmissverständlichen Sinn. Er brachte die »Dialektik der Normalisierung« zu Bewusstsein – die Tatsache, dass hier zu Lande, nach dem Zivilisationsbruch, nur die Vermeidung eines falschen Normalitätsbewusstseins halbwegs normale Verhältnisse hat entstehen lassen. Aber seit dem Regierungswechsel des vergangenen Jahres haben die Ausdrücke »Normalität« und »Berliner Republik« eine linksnationale Sinnverschiebung erfahren; sie sind auf die Bedeutung einer vom ritualisierten Gedenken entlasteten »Zukunftsfähigkeit« umgepolt worden. Ein ebenso medienempfindliches wie normativ entkerntes Kanzleramt bereichert, sei es mit beredtem Schweigen zur Spaltung der Nation in deutsche Deutsche und jüdische Deutsche oder mit Ideen zur besucherfreundlichen Ausgestaltung des Berliner Denkmals eine immer flacher werdende geistige Landschaft. Währenddessen enteignet der Kanzler mit flotten nationalen Sprüchen die verdutzten Leitartikler der FAZ ihrer Lieblingsfloskeln.

Von einem Autor, der den Titel seines Buches sorgfältig gewählt hat, dürfen aber auch die Normalisierer der harmloseren Art keine philosophische Schützenhilfe erwarten. Die Aufforderung, aus unserem Lande etwas zu machen – »to achieve our country« – entlehnt Rorty einem Roman, der den dunkelsten Seiten der amerikanischen Geschichte keineswegs den Rücken kehrt. Darin erinnert James Baldwin seine weißen Mitbürger unerbittlich an die Unterdrückung und Ausbeutung der Indianer, der Schwarzen und der Mexikaner. Allerdings gibt er die Hoffnung nicht preis, auf der Basis der wach gehaltenen Erinnerung an eine gespaltene Vergangenheit gemeinsam für ein künftiges besseres Amerika zu kämpfen.

Der »Stolz auf unser Land« ist ein sehr amerikanischer Stolz. Wie bei einem solchen Manifest nicht anders zu erwarten, gewinnen die Sätze einen präzisen Sinn aus Kontexten, die nicht die unsrigen sind. Daran erinnert Rorty selbst in einer Fußnote zu unserer Diskussion über »Verfassungspatriotismus«. Keine der Geschichten, die Rorty erzählt, lässt sich ohne weiteres übertragen. Die politische Lebensgeschichte eines 1931 in New York geborenen »red diaper baby« ist nicht einmal typisch für die meisten amerikanischen Intellektuellen dieser Generation. Die Geschichte der amerikanischen Linken lebt von anderen Traditionen, ist mit anderen sozialen Umgebungen und historischen Ereignissen konfrontiert als die Linke in Europa. Ebenso fehlt hier das Pendant zu einem Pragmatismus, der Vaterlandsliebe mit Leidenschaft für industriellen Fortschritt, soziale Gerechtigkeit und Demokratie gleichsetzt. Auch eine kulturelle Linke, wie sie in den USA zwei Jahrzehnte lang bestanden hat, findet keine Entsprechung an deutschen oder französischen Universitäten. Gleichwohl könnte die auch hier zu Lande defaitistisch gewordene Linke Ermutigung gebrauchen. Mit ihren klugen Untersuchungen zu Nationalstaat, europäischer Zukunft und Globalisierung beeindruckt sie niemanden, solange sie sich im akademischen Getto einigelt.

Rorty ermutigt »seine« Linke dazu, sich für ein besseres Amerika zu schlagen. Dabei geht er auf die intellektuellen Wurzeln der politischen Kultur eines Landes zurück, das erst im 20. Jahrhundert zu einem Nationalstaat zusammengewachsen ist. Unter ganz anderen Ausgangsbedingungen haben die europäischen Staaten das Zusammenwachsen noch vor sich. Wenn Rortys patriotisches Manifest für uns überhaupt eine Botschaft enthält, dann die Aufforderung zum öffentlichen Streit über das politische Selbstverständnis der europäischen Bürger, die eine europaweite Demokratie auf die Beine stellen müssen, wenn sie die sozialen Sprengsätze eines gewiss hoch produktiven gemeinsamen Marktes und der gemeinsamen Währung durch gemeinsame Politiken entschärfen wollen.

11. Robert Brandom:
Making it Explicit[1]

Vor sechs Jahren machte mich Richard Rorty auf das Buch eines seiner Schüler aufmerksam: »Darin ist die Formalpragmatik durchgeführt, die Sie brauchen.« Damals hörte ich zum erstenmal den Namen des Autors, dessen Buch in diesen Tagen unter dem Titel *Expressive Vernunft* erschienen ist. Der Suhrkamp-Verlag hat das Verdienst, dem deutschen Publikum einen Text von tausend Seiten zugänglich zu machen, dessen philosophisches Gewicht dem Umfang entspricht. Das Pathos der *Durchführung* eines komplexen Gedankens von spekulativer Kraft erinnert an die geistige Disziplin von Edmund Husserl. In einer Zeit des rasenden Stillstands, da Selbstdarstellungsprosa, abräumende Polemik, Tiefenschwindelei und Science Fiction Science die Windstille übertönen, lässt uns ein Werk, das allein aus der Substanz seiner Fragestellung lebt, aufatmen. Es ragt fremd in eine intellektuelle Landschaft hinein, in der die fehlenden Themen und Gedanken durch Generationengeschwätz und Lifestyle-Design ersetzt werden.

Robert Brandom, der zusammen mit John McDowell in Pittsburgh Philosophie lehrt, hat alle Mittel von Logik und Semantik aufgeboten, um den Begriff des objektiven Geistes, der der analytischen Philosophie bis heute fremd geblieben ist, auf dem Wege einer Theorie des Diskurses einzuholen. Er zerlegt die Alltagskommunikation in Züge eines Argumentationsspiels, worin jeder sorgfältig registriert, worauf sich andere Teilnehmer mit ihren Sprechakten festlegen – welche Verpflichtungen sie eingehen und wozu sie berechtigt sind. Die Vernunft entfaltet sich kommunikativ in gemeinsamer Praxis.

Souverän nimmt Brandom die in der Tradition von Frege bis Dummett gleichsam von innen erzeugten Probleme auf. Gleichzeitig will er jedoch mit seiner eigenwilligen Terminologie *auch* eine Sprache schaffen, in deren Licht sich sprach- und handlungs-

1 Deutsch: Robert Brandom, *Expressive Vernunft. Begründung, Repräsentation und diskursive Festlegung*, Frankfurt a. M. 2000.

fähige Subjekte überhaupt ihrer geistigen Verfassung und normativen Bestimmung vergewissern können. Diese esoterische Sprachpragmatik ist für Fachgenossen geschrieben; aber der idealistische Ehrgeiz des Autors zielt unverkennbar über das Fach hinaus. Dieser versteht gut Hegelisch seine Theorie als einen zeitgenössischen Versuch der Selbstreflexion des menschlichen Geistes, wie er sich in den Praktiken einer Sprachgemeinschaft ausdrückt. Brandom untersucht die Praxis der Verständigung, die für uns – als logische und mit Begriffen hantierende Wesen – konstitutiv ist. Ihm geht es um das normative Selbstverständnis von Subjekten, für die »Gründe zählen«. Auch das pragmatistisch entsublimierte »Reich der Zwecke« ist ein Universum von vernünftigen Wesen, die sich der zwanglosen Autorität guter Gründe unterwerfen. Sie fordern für ihre Äußerungen Rechenschaft voneinander und machen ihr Zusammenleben von der diskursiven Praxis gegenseitiger Rechenschaftslegung abhängig.

In den USA, wo die bedeutendsten Philosophen eher mit ausgefeilten Aufsätzen als mit dicken Büchern Karriere machen, hat es ein großformatiges Unternehmen dieser Art schwer. Dort stößt Brandoms spekulativer Impuls zudem auf den Widerstand eines naturalistischen Zeitgeists, der sich mit dem szientistischen Selbstverständnis der Wissenschaften verbündet hat. In Deutschland sind die Umstände für eine Rezeption, die schon im Gange ist, günstiger. Wie Brandom selbst sieht man hier zu Lande hinter Wittgenstein eher den Schatten von Frege und hinter Frege eher den Schatten von Kant. Sogar Reichenbach und Carnap hatten noch einen Kantischen Hintergrund, während die Schule von Quine und Davidson ihre Hume'schen Wurzeln selbst da nicht verleugnet, wo das Geistige nicht von vornherein aller Normativität entkleidet wird. Bei uns trifft Brandom auf ein Interesse an Sprachpragmatik, das sich aus eigenen Quellen speist – aus der philosophischen Hermeneutik, dem Erlanger Konstruktivismus und einer Kantisch inspirierten Verarbeitung sowohl der Peirce'schen Semiotik wie der Sprechakttheorie.

Zudem segelt Brandom im Kielwasser der pragmatistischen Klassiker, für die heute die Türen offen stehen. Der Pragmatismus, die einzige genuin amerikanische Philosophie, lebt aus dem Geist der intersubjektivistisch gedeuteten und naturalistisch eingefärbten Hegel'schen Philosophie. Trotz dieser Geistesverwandtschaft hat diese Tradition in Deutschland erst nach dem

Zweiten Weltkrieg Wurzeln geschlagen. Anders als Marx und Kierkegaard verfügt der amerikanische Zweig des Junghegelianismus über einen lebendigen Begriff von Demokratie – über die Konzeption einer Bürgergesellschaft, die sich als experimentierende und lernende Kommunikationsgemeinschaft begreift. Der Pragmatismus bildete eine Brücke zwischen deutscher und amerikanischer Philosophie von Anfang an. Aber der transatlantische Verkehrsstrom der Ideen hat die Fahrtrichtung geändert. Während Peirce und James, Mead und Dewey noch nach Deutschland blickten, sind wir es, die heute von deren amerikanischen Schülern lernen.

Die eigentlich innovative Leistung von Brandom sehe ich darin, dass er den Ansatz der inferentiellen Semantik von Wilfrid Sellars mit der Pragmatik einer an Geltungsansprüchen orientierten Verständigungspraxis nahtlos zusammenführt. Das Lexikon der Sprache löst sich in ein Netzwerk von materialen Implikationen auf. Der begriffliche Gehalt der kommunikativ verwendeten Ausdrücke artikuliert sich darin, einen Sprecher in den Augen seines Interpreten zu bestimmten Zügen im Argumentationsspiel zu legitimieren. Jeder interpretiert jeden. Jeder führt Buch über die Argumentationspflichten und -rechte, auf die sich andere mit ihren Geltungsansprüchen festlegen – ob ihnen das bewusst ist oder nicht. Dabei fällt die ganze Bürde der Konstituierung und Beurteilung gültiger Äußerungen auf die Schultern der Diskursteilnehmer selbst. Denn Brandom untersucht, wie die Beteiligten selbst es anstellen, einen Sprechakt im Netzwerk der Verpflichtungen und Berechtigungen zu lokalisieren, auf die sich der Sprecher mit dieser Äußerung festlegt.

Brandom hält seine Leser über neun schwierige Kapitel mit einer Frage in Atem. Nämlich mit der Frage, wie die Diskursteilnehmer aus der in sich kreisenden Praxis der gegenseitigen Zuschreibung und Bewertung von Geltungsansprüchen ausbrechen und ihre Sprache zur Welt hin überschreiten können – zu der unabhängig von ihnen existierenden Welt, von der die Objektivität ihrer Urteile doch beglaubigt werden muss. Wir müssen die Unterscheidung zwischen Sprache und Welt stets in der Sprache selbst vornehmen. Brandoms raffinierte und ganz unkonventionelle Erklärung läuft darauf hinaus, dass diese Differenz zwischen Sätzen und Tatsachen – letztlich zwischen dem, was wir für wahr halten, und dem, was wahr ist – auf einen Unterschied der sozialen Perspektiven von Sprecher und Interpret zurückgeführt werden kann. Ein Interpret muss ja einen Wahrheitsanspruch, den er Anderen zuschreibt, nicht selber akzeptieren. So zum Beispiel, wenn er die problematischen Voraussetzungen oder Konsequenzen überblickt, auf die sich der Sprecher mit einer Äußerung implizit festgelegt hat, ohne sich ganz darüber im Klaren zu sein...

Demnach dient der objektive begriffliche Inhalt der verwendeten Ausdrücke als kritischer Maßstab. Aber wer bürgt für die Objektivität der aus unserem Sprachschatz übernommenen Begriffe? Wenn ich den Begriff »Kupfer« falsch verwende, kann mich gewiss eine chemische Expertin darüber aufklären, warum ich, wenn ich den präzisen Inhalt des Terminus nur hinreichend verstehen würde, eine bestimmte Aussage nicht hätte aufstellen dürfen. Aber dann müssen wir wohl eher mit Hilary Putnam der Frage nachgehen, auf welche Art von Autorität sich dieses wissenschaftliche Urteil wiederum gründet. Anscheinend können wir aus dem praktischen Umgang mit der Natur etwas lernen, was wir allein aus dem diskursiven Umgang miteinander nicht lernen können. Während eines aufschlussreichen Interviews (Deutsche Zeitschrift für Philosophie, 6/1999) antwortet Brandom auf die entsprechende Frage einer klugen Studentin ausweichend. Er habe sich in seinem Buch nicht mit dem Prozess der Begriffs*bildung*, sondern nur mit der *Verwendung* verfügbarer Begriffe im Diskurs befasst.

Um diese Lücke aus der festgehaltenen Perspektive von Gesprächsteilnehmern zu schließen, bietet sich der Schritt zum objektiven Idealismus an. Noch ist nicht klar, ob Brandom ihn wirklich tut. Der deutsche Titel will das wohl suggerieren. Denn *Expressive Vernunft* hat die Konnotation der *Selbstentfaltung* eines Geistes, der von Haus aus eine an sich propositional strukturierte Welt mit unserem diskursiven Geist verbindet. Der ursprüngliche Titel heißt *Making It Explicit*. Er spielt auf die Methode an, das intuitive Wissen kompetenter Sprecher aus der Perspektive von Teilnehmern auszubuchstabieren. Dieses Vorgehen hat zunächst den trivialen Sinn, das *know how* in ein *knowing that* zu überführen. So verfährt man immer bei der rationalen Rekonstruktion von Fertigkeiten. Aber Brandom gibt dieser Methode einen emphatischen Sinn. Er will über die Stufen des selbstbezüglichen Vokabulars der höher stufigen logischen und semantischen Begriffe einen Prozess der *Selbstaufstufung* des

Geistes rekonstruieren, um auf seine Weise dieselbe Aufgabe zu lösen, die sich Hegel in der *Logik* zum Ziel gesetzt hatte: »Meines Erachtens ist das absolute Wissen für Hegel die Stufe, auf der wir unsere logischen Mittel vollkommen entwickelt haben.«

Mit seinen amerikanischen Kollegen Robert Pippin und Terry Pinkard teilt Brandom ein deflationistisches Verständnis von Hegels »absolutem Wissen«. Wir dürfen gespannt darauf sein, ob er in seinem nächsten Buch über Hegel auf dem pragmatistischen Boden bleibt – oder ob er sich von seinem metaphysischen Impuls beflügeln und forttragen lässt. Brandom erinnert einmal an den Ausspruch seines Lehrers Rorty über das Werk von Wilfrid Sellars: Darin sei der Geist Hegels in Carnaps Ketten gelegt worden. Brandom selbst kokettiert mit der Vorstellung, Rortys Geist auf seinem Weg von Wittgenstein über Kant zu Hegel an die Kandare zu legen. Ich halte das für eine vernünftige Alternative zur vorherrschenden Symbiose des späten Wittgenstein mit dem späten Heidegger.

VII.
Jerusalem, Athen und Rom

Im Sommer 1999 habe ich mit Eduardo Mendieta, der stark von der süd-
amerikanischen Befreiungstheologie geprägt ist und heute an der New
York State University in Stoney Brook Philosophie lehrt, das folgende Gespräch geführt. (Es ist im Jahrbuch für Politische Theologie, Bd. 3, 1999,
190-211 veröffentlicht worden.)

12. Ein Gespräch über Gott und die Welt

Frage: Der Slogan des Tages heißt »Globalisierung«, auch wenn man nicht weiß, was genau er nun bedeutet. Manche verstehen darunter eine neues politisches, ökonomisches, technologisches oder gar ökologisches Regime. Andere bezweifeln den qualitativen Unterschied zwischen dieser Zäsur und anderen Epocheneinteilungen wie Moderne, Postmoderne oder Postkolonialität. Sie begreifen Globalisierung als einen reflexiv gewordenen Modernisierungsprozess. Merkwürdigerweise bleibt die Frage der Religion in diesen Überlegungen zwar präsent, aber auf eine unausgesprochene Weise. In welchem Maße sehen Sie Religion als einen Vorläufer, als einen Katalysator oder als eine Bedingung der Möglichkeit von Modernisierung und Globalisierung?

J. H.: Nicht die gesellschaftliche, aber die kulturelle Modernisierung des Abendlandes lässt sich aus Motiven der jüdisch-christlichen Überlieferung erklären. Im Rezeptionshorizont der griechischen Philosophie, wenn man etwa an Toledo denkt, haben sich diese Impulse auch mit Anstößen des Islam verbunden. Vergessen wir dabei nicht, dass es in allen drei monotheistischen · Religionen vor allem die häretischen Bewegungen und die Sezessionen waren, die die Empfindlichkeit für die radikaleren Offenbarungsgehalte immer wieder erneuert haben. Aus soziologischer Sicht hätten sich die modernen Bewusstseinsformen des abstrakten Rechts, der modernen Wissenschaft, der autonomen Kunst – mit dem profan verselbständigten Tafelbild im Zentrum – nicht ohne die Organisationsformen des hellenisierten Christentums und der römischen Kirche, nicht ohne Universitäten, Klöster und Kathedralen entfalten können. Das gilt erst recht für die mentalen Strukturen.

Schon der Gottesgedanke, also die Idee des einen und verborgenen Schöpfer- und Erlösergottes, hatte gegenüber den anfänglichen Erzählungen des Mythos den Durchbruch zu einer ganz anderen Perspektive bedeutet. Damit hat nämlich der endliche Geist einen alles Innerweltliche transzendierenden Standpunkt gewonnen. Aber erst mit dem Übergang zur Moderne macht sich das erkennende und moralisch urteilende Subjekt den Gottesstandpunkt in der Weise zueigen, dass es zwei folgenreiche Idealisierungen vornimmt. Es objektiviert auf der einen Seite die äußere Natur zur Gesamtheit gesetzesartig verknüpfter Zustände und Ereignisse, und es expandiert auf der anderen Seite die bekannte soziale Welt zur grenzenlos-inklusiven Gemeinschaft aller zurechnungsfähig handelnden Personen. Damit ist in beiden Dimensionen das Tor zu einer vernünftigen Durchdringung der opaken Welt aufgestoßen – zur kognitiven Rationalisierung einer im Ganzen vergegenständlichten Natur und zur sozialkognitiven Rationalisierung des Ganzen moralisch geregelter interpersonaler Beziehungen.

Nach meinem Eindruck ist übrigens der Buddhismus die einzige andere Weltreligion, die eine ähnliche Abstraktionsleistung vollbracht und – strukturell gesehen – eine für den Gottesstandpunkt äquivalente Begriffsbildung vorgenommen hat. Die Religionen des Ostens setzen nicht, wie die monotheistischen Weltbilder, bei der handelnden Person, sondern beim unpersönlichen Bewusstsein von Etwas an. Sie treiben die Abstraktion in entgegengesetzter Richtung voran – nicht durch eine Steigerung von persönlichen Leistungen zur »Allmacht«, zum »Allwissen« und zur »Allgüte« Gottes, sondern durch die immer weiter fortschreitende Negation aller möglichen Eigenschaften eines wahrgenommenen und beurteilten Gegenstandes. Auf diese Weise nähert sich der Buddhismus dem Fluchtpunkt des reinen oder radikalen »Nichts« – dem, was übrig bleibt, nachdem wir von allem abstrahiert haben, was ein beliebiges Etwas zu einer bestimmten Entität macht: diesem Nicht-Etwas, das auch im schwarzen Quadrat von Malewitsch einen Ausdruck gefunden hat. Dieselbe kognitive Operation, die bei den Griechen – in theoretischer Absicht – zum »Sein« des Seienden führt, führt hier – in moralischer Absicht – zu dem »Nichts«, das alles, was für etwas in der Welt konstitutiv ist, abgeschüttelt hat.

Aber die kulturelle und gesellschaftliche Modernisierung hat ja nicht in den vom Buddhismus beherrschten Regionen eingesetzt. Denn im Westen hat das Christentum nicht nur die kognitiven Ausgangsbedingungen für moderne Bewusstseinsstrukturen erfüllt, sondern auch jene Motivationen befördert, die das große Thema der wirtschaftsethischen Untersuchungen von Max Weber gewesen sind. Das Christentum ist für das normative Selbstverständnis der Moderne nicht nur eine Vorläufergestalt oder ein

Katalysator gewesen. Der egalitäre Universalismus, aus dem die Ideen von Freiheit und solidarischem Zusammenleben, von autonomer Lebensführung und Emanzipation, von individueller Gewissensmoral, Menschenrechten und Demokratie entsprungen sind, ist unmittelbar ein Erbe der jüdischen Gerechtigkeits- und der christlichen Liebesethik. In der Substanz unverändert, ist dieses Erbe immer wieder kritisch angeeignet und neu interpretiert worden. Dazu gibt es bis heute keine Alternative. Auch angesichts der aktuellen Herausforderungen einer postnationalen Konstellation zehren wir nach wie vor von dieser Substanz. Alles andere ist postmodernes Gerede.

Gewiss, die Globalisierung der Märkte, also die elektronische Vernetzung der Finanzmärkte und die Beschleunigung der Kapitalbewegungen, haben zu einem transnationalen Wirtschaftsregime geführt, das inzwischen den Handlungsspielraum der führenden Industrienationen empfindlich einschränkt. Aber die Intensivierung und Erweiterung von Kommunikation und Austausch schafft nur eine neue Infrastruktur, keine neue Orientierung oder Bewusstseinsformation. Das neue Stadium in der Entwicklung des Kapitalismus vollzieht sich innerhalb des wesentlich gleich bleibenden Horizonts der gesellschaftlichen Moderne und ihres seit dem Ende des 18. Jahrhunderts ausgebildeten normativen Selbstverständnisses. Religion und Kirche haben, wie gesagt, für diese Mentalität bedeutende Schrittmacherdienste geleistet; aber für das Entstehen der globalisierten Verkehrs- und Kommunikationsverhältnisse kann man nicht das gleiche behaupten. Das Christentum wird vielmehr von den unerwarteten Folgen dieser neuen Infrastruktur so betroffen und herausgefordert wie andere Gestalten des objektiven Geistes auch.

Frage: Darauf wollte ich gerade zu sprechen kommen. Das Verhältnis von Moderne und Globalisierung auf der einen, Religion auf der anderen Seite kommt auch in der Weise ins Spiel, dass die zeitgenössischen Formen des religiösen Bewusstseins und, wie man hinzufügen muss, der theologischen Lehre Kinder der Moderne und der Globalisierung sind. Wie lassen sich die heutigen Formen der Religion – im Hinblick sowohl auf Institution und Glaubenspraxis wie auf Glaubensinhalt und Erfahrungsgehalt – als Produkte der Modernisierung und Globalisierung verstehen?

J. H.: Den Herausforderungen der Globalisierung müssen die christlichen Kirchen wohl durch eine radikalere Ausschöpfung des eigenen normativen Potentials begegnen. Die Ökumene wird erst heute in einem nicht-paternalistischen Sinne ökumenisch, erst heute wird die Kirche zur polyzentrischen Weltkirche – dieses Thema beschäftigt beispielsweise meinen Freund Johann Baptist Metz. Der Universalismus der Weltreligion wird erst heute in einem streng interkulturellen Sinne universalistisch, die christliche Ethik erweitert sich heute erst zu einem wahrhaft inklusiven Weltethos – ein Projekt, für das sich Hans Küng engagiert. Aber Ihre Frage zielt tiefer. Sie beziehen sich, wenn ich recht sehe, auf einen Prozess der Veränderung des religiösen Bewusstseins, der im Abendland mit der Reformation eingesetzt und inzwischen auch die anderen Weltreligionen erfasst hat – auf die »Modernisierung« des Glaubens selber. Aus derselben Modernisierung, für die Religion und Kirche wichtige Anfangsbedingungen erfüllt hatten, sind eine säkularisierte Gesellschaft und ein weltanschaulicher Pluralismus hervorgegangen, die dann ihrerseits die Formen des religiösen Glauben und der kirchlichen Praxis zu einer kognitiven Umstrukturierung genötigt haben.

Offenbarungsreligionen werden in der dogmatischen Form einer »Lehre« überliefert. Aber im Abendland ist die christliche Lehre mit den begrifflichen Mitteln und in den scholastischen Formen der Philosophie zur wissenschaftlichen Theologie ausgebildet worden. Diese interne Rationalisierung hat hier einen kognitiven Gestaltwandel erleichtert, der – trotz aller Ambivalenzen bei Luther selbst – in der Folge der reformatorischen Bewegung zum reflexiven Glaubensmodus geführt hat. In modernen Gesellschaften müssen religiöse Lehren mit der unabweisbaren Konkurrenz anderer Glaubensmächte und Wahrheitsansprüche zurechtkommen. Sie bewegen sich nicht mehr in einem geschlossenen Universum, das von der eigenen, für absolut gehaltenen Wahrheit gleichsam regiert wird. Jede Verkündigung begegnet heute dem Pluralismus verschiedener Glaubenswahrheiten – und zugleich der Skepsis eines wissenschaftlichen Profanwissens, das seine gesellschaftliche Autorität der eingestandenen Fallibilität und einem auf Dauerrevision beruhenden Lernprozess verdankt. Die religiöse Dogmatik und das Bewusstsein des Gläubigen müssen den illokutionären Sinn der religiösen Rede, das Fürwahrhalten einer religiösen Aussage, mit beiden Fakten in Einklang bringen. Jede Konfession muss sich zu den konkurrierenden Aussagen anderer Religionen ebenso ins Verhältnis setzen wie zu den Einsprüchen der Wissenschaft und des säkularisierten, halb verwissenschaftlichten commonsense.

Deshalb wird der moderne Glaube reflexiv. Er kann sich nämlich nur im selbstkritischen Bewusstsein jener nicht-exklusiven Stellung stabilisieren, die er innerhalb eines vom Profanwissen begrenzten und mit anderen Religionen geteilten Diskursuniversums einnimmt. Dieses dezentrierende Hintergrundbewusstsein von der Relativierung des eigenen Standorts, die freilich keine Relativierung der Glaubenswahrheiten selbst zur Folge haben darf, zeichnet die moderne Form des religiösen Glaubens aus. Das reflexive Bewusstsein, das sich mit den Augen der anderen zu betrachten gelernt hat, ist übrigens konstitutiv für das, was John Rawls die Vernünftigkeit der »reasonable comprehensive doctrines« nennt. Das hat die wichtige politische Implikation, dass die Gläubigen wissen können, warum sie auf Gewalt, erst recht auf staatlich organisierte Gewalt zur Durchsetzung ihrer Glaubenswahrheiten verzichten müssen. Insofern ist, was wir die »Modernisierung des Glaubens« nennen können, eine notwendige kognitive Voraussetzung für die Durchsetzung religiöser Toleranz und die Einrichtung einer neutralen Staatsgewalt.

Fundamentalistisch nennen wir die religiösen Bewegungen, die unter den kognitiven Beschränkungen moderner Lebensbedingungen gleichwohl die Rückkehr zur Exklusivität vormoderner Glaubenseinstellungen propagieren oder gar praktizieren. Dem Fundamentalismus fehlt die Unschuld der epistemischen Situation jener irgendwie als grenzenlos wahrgenommenen Alten Reiche, in denen sich die Weltreligionen zunächst ausgebreitet haben. Von diesem Bewusstsein imperialer Grenzenlosigkeit, das einmal den beschränkten »Universalismus« der Weltreligionen begründet hat, mag China heute noch einen Geschmack geben. Aber die modernen Verhältnisse sind nur mit einem strikten, wenn Sie wollen, Kantischen Universalismus vereinbar. Deshalb ist der Fundamentalismus die falsche Antwort auf eine epistemische Situation, die die Einsicht in die Unausweichlichkeit religiöser Toleranz aufdrängt und damit den Gläubigen die Bürde auferlegt, die Säkularisierung des Wissens und den Pluralismus der Weltbilder unbeschadet eigener Glaubenswahrheiten auszuhalten.

Frage: Religion ist auch eine Form der Kommunikation und bleibt insoweit von einem Wandel der Kommunikationsmedien nicht unberührt. Heute revolutioniert die Telekommunikation alle Mittel und Wege der Kommunikation. Beobachten wir heute nicht das Veralten der älteren Interaktionsformen, und entstehen nicht mit den neuen Kommunikationsmedien auch neue Religionen, neue Kirchen, neue Formen der Andacht und des Gebets?

J. H.: Dazu kann ich nicht viel sagen, weil sich diese Frage nur »von innen«, aus der Sicht eines Beteiligen, beantworten lässt. Und soziologisch habe ich mich mit den neuen, entinstitutionalisierten und entdifferenzierten Formen der Religiosität nicht befasst. Alle großen Weltreligionen kannten antikirchliche, überhaupt institutionenkritische Erneuerungsbewegungen, mystische Bewegungen, auch den Subjektivismus der Gefühlsfrömmigkeit, wofür bei uns etwa der Pietismus ein Beispiel war. Diese selben Impulse mag es in anderer Form auch heute geben. Was ich allerdings in den Buchhandlungen unter »Esoterik« aus der Ferne wahrnehme, erscheint mir eher ein Symptom von Ichschwäche und Regression zu sein, Ausdruck des Versuchs einer unmöglich gewordenen Rückkehr zu mythischen Denkweisen, zu magischen Praktiken und geschlossenen Weltbildern, die die Kirchen in ihrem Kampf gegen das »Heidentum« einst überwunden haben. Aber die Geschichte lehrt auch, dass Sekten innovativ sein können. Vielleicht ist nicht alles auf diesem Markt kalifornischer Schnickschnack oder Neues Heidentum.

Aber irgendwie scheint in diesem Bereich die diskursive Auseinandersetzung zu fehlen – vielleicht auch die Möglichkeit zu einem ernsthaften Diskurs? Wenn ich in die »Summa Contra Gentiles« des Thomas von Aquin hineinschaue, bin ich von der Komplexität, dem Grad der Differenzierung, dem Ernst und der Stringenz der dialogisch aufgebauten Argumentation hingerissen. Ich bin ein Bewunderer von Thomas. Er repräsentiert eine Gestalt des Geistes, die ihre Authentizität aus sich selbst heraus verbürgen konnte. Dass es einen solchen Fels in der Brandung zerfließender Religiositäten heute nicht mehr gibt, ist eben auch eine Tatsache. In der einebnenden Mediengesellschaft verliert alles seinen Ernst, vielleicht auch das institutionalisierte Christentum selber?

Frage: In Ihren Arbeiten sprechen Sie manchmal von der Mission Europas für die Welt, jedenfalls von der »zweiten Chance« in der Geschichte, die ein Vereinigtes Europa vielleicht erhält. Ist diese Aussicht nicht gerade durch das enge Verhältnis, das Europa zum Christentum unterhält, kompromittiert? Wenn man beispielsweise bei Philosophen des Weltstaates wie Fukuyama oder Huntington zwischen den Zeilen liest, erkennt man, dass die Globalisierung als Fortsetzung des christlichen Projekts der Zivilisierung gemeint ist – und dass alles, was ihm im Wege steht als »orientalischer Despotismus« oder als »islamischer Fundamentalismus« abgetan wird. Aus dieser missionarischen Sicht ist die Globalisierung sozusagen gegen alle »Infektionsgefahren« von Seiten nichtwestlicher Kulturen geimpft.

J. H.: Nun, über die unheilige Dreieinigkeit von Kolonialismus, Christentum und Eurozentrismus müssen wir uns nicht streiten. Die dunkle Rückseite des Spiegels einer Modernisierung, die uns nur den Anblick der Ausbreitung von Zivilisation, Menschenrechten und Demokratie darbieten möchte, ist ja inzwischen einigermaßen ausgeleuchtet. Aber derselbe egalitäre Universalismus, den heute die neoliberalen Verfechter eines politisch ungezähmten Welthandelsregimes fast ebenso strahlend als Fahne vor sich hertragen wie seinerzeit die Kolonialherren das Christentum, liefert schließlich auch die einzig überzeugenden Maßstäbe für die Kritik der elenden Verhältnisse unserer ökonomisch zerrissenen, stratifizierten und nicht-pazifizierten Weltgesellschaft. Wer wollte den im 15. Jahrhundert einsetzenden, ungeheuer brutalen, weltweiten Prozess der gesellschaftlichen Modernisierung heute noch unter normativen Gesichtspunkten rechtfertigen? Aber der gegenwärtige Weltzustand, in dem wir uns offensichtlich ohne erkennbare Alternative vorfinden – the »modern condition« –, ist ja nichts, wofür wir Nachgeborenen retrospektiv Verantwortung übernehmen und Rechenschaft ablegen müssten.

Wie das Pol-Pot-Regime in Kambodscha, der »Leuchtende Pfad« in Peru oder die Armutsherrschaft in Nordkorea zeigen, lässt uns die kapitalistische Weltgesellschaft heute, nach dem fehlgeschlagenen sowjetkommunistischen Experiment, keine vernünftige Exit-Option mehr. Veränderungen des globalen Kapitalismus, die über den Dauerzustand einer sich selbst beschleunigenden »schöpferischen Zerstörung« hinausführen, scheinen nur noch von innen möglich zu sein. Wir brauchen deshalb eine selbstbezügliche, auf die Stärkung der politischen Handlungsfähigkeit selbst gerichtete Politik der Eindämmung und Einhegung der wild gewordenen ökonomischen Dynamik sowohl diesseits wie vor allem jenseits der heute noch maßgebenden Ebene nationalstaatlicher Akteure. Dazu habe ich mich ja in dem Buch über »Die postnationale Konstellation« geäußert. Dass wir nur noch unter den Bedingungen einer gesellschaftlichen Moderne, die wir nicht selbst gewählt haben, operieren können, heißt natürlich nicht, dass wir als Missionare jener westlichen Kultur handeln müssten, die das alles aus sich entlassen hat.

Nehmen wir das Beispiel der Menschenrechte. Diese stellen heute – trotz ihres europäischen Ursprungs – die universale Sprache dar, in der die globalen Verkehrsverhältnisse normativ geregelt werden. Sie bildet auch in Asien, Afrika und Südamerika die einzige Sprache, in der die Opponenten und Opfer von mörderischen Regimen und Bürgerkriegen ihre Stimme gegen Gewalt, Repression und Verfolgung, gegen die Verletzung ihrer menschlichen Würde erheben. Aber in dem Maße, wie die Menschenrechte als eine transkulturelle Sprache akzeptiert werden, hat sich zwischen den Kulturen auch der Streit um ihre angemessene Interpretation verschärft. Soweit dieser interkulturelle Diskurs über Menschenrechte unter Bedingungen reziproker Anerkennung geführt wird, kann er auch im Westen zu einem dezentrierten Verständnis einer normativen Konstruktion führen, die nicht länger das Eigentum von Europäern bleibt und nicht länger nur die Eigenart dieser einen Kultur widerspiegeln darf.

Gewiss, der Westen hat nach wie vor einen privilegierten Zugang zu den Ressourcen der Macht, des Wohlstandes und des Wissens dieser Welt. Aber es liegt in unserem eigenen Interesse, dass das von hier ausgehende Projekt der Entwicklung einer gerechten und pazifizierten Weltzivilisation nicht von vornherein diskreditiert ist. Deshalb muss sich der jüdisch-griechisch-christlich geprägte Okzident auf eine seiner kulturellen Errungenschaften besinnen – auf die Fähigkeit zur Dezentrierung der eigenen Perspektiven, zur Selbstreflexion und zur selbstkritischen Abstandnahme von den eigenen Traditionen. Im hermeneutischen Gespräch der Kulturen miteinander muss der Westen sich aller nicht-diskursiven Mittel enthalten und darf seine Stimme nur als eine unter anderen Stimmen erheben. Mit einem Wort: um den

Eurozentrismus zu überwinden, muss der Westen von seinen eigenen kognitiven Mitteln den richtigen Gebrauch machen. Dass das, weiss Gott, leichter gesagt als getan ist, sehen wir soeben an der selektiven Verfolgung und problematischen Ausführung der Menschenrechtspolitik im ehemaligen Jugoslawien. Aber das führt uns vom Thema ab.

Frage: Lassen Sie mich die Frage noch einmal zuspitzen. Können wir vom Westen sprechen, ohne im selben Atemzug von Athen, Rom und Jerusalem zu sprechen? Und können wir umgekehrt von einer postnationalen Weltordnung sprechen, ohne an die lange Geschichte religiöser Konflikte zu denken – und an die immer gegenwärtige Aussicht der tödlichen Verschärfung dieser Konflikte?

J. H.: Sie erinnern mit Recht an die internen Spannungen, an die Sollbruchstellen im Gebäude der westlichen Kultur. Jerusalem, Athen und Rom – das ist die charakteristische Spannung zwischen Monotheismus, Wissenschaft und republikanischer Tradition, die der Westen aushalten muss, ohne zu versuchen, eins ans andere zu assimilieren. Was das Verhältnis von Athen und Jerusalem angeht, so hat der Hellenisierung des Christentums – der theologischen Verwissenschaftlichung der Erlösungsbotschaft – immer die Tendenz innegewohnt, das christliche Proprium zu entschärfen. Die Hiobs-Frage nach der Gerechtigkeit Gottes angesichts der existentiellen Erfahrung des Leidens und der Vernichtung in gottverlassener Finsternis verliert im Horizont des griechischen Denkens – auch der Kirchenväter – ihre Radikalität. Wo war Gott in Auschwitz? Auf der Achse Rom-Jerusalem beobachten wir eine ähnliche Entspannung: Einerseits die verdiesseitigende Politisierung der biblischen Botschaft und andererseits die politisch-theologische Aushöhlung des Vernunftkerns einer säkularisierten Politik. Schließlich sind wir in Deutschland auch mit dem bildungsreligiösen Dunst eines prätentiösen, aber entpolitisierenden Neuhumanismus vertraut, der das Römisch-Republikanische ins Griechisch-Geistige sublimiert, sodass der Pragmatismus des Alltags in der verschwiemelten Aura des Außeralltäglichen untertaucht. Brecht – nicht Hannah Arendt – gehört bei uns zu den wenigen Parteigängern »Roms«, die die fatalen Folgen der Fixierung der deutschen Klassik auf die griechische Antike erkannt haben.

Das sind symbiotische Fehlentwicklungen, die eintreten, wenn die widerstrebigen Elemente einer spannungsreichen Kultursynthese ihren Eigensinn einbüßen. Das zeigt sich eben auch am Verhältnis der Religion zur Philosophie – der existentielle Sinn der Befreiung der individuellen Seele durch das Heilsversprechen des Erlösergottes darf eben nicht an die kontemplative Erhebung und die intuitive Verschmelzung des endlichen Geistes mit dem Absoluten angeglichen werden.

Ebenso verhält es sich auf der globalen Ebene mit der Spannung zwischen den verschiedenen Kulturen und Weltreligionen. Zu der im Entstehen begriffenen Weltzivilisation kann jede einzelne Kultur nur dann einen produktiven Beitrag leisten, wenn sie in ihrem Eigensinn respektiert wird. Die Spannung muss stabilisiert, sie darf nicht aufgelöst werden, wenn das Netz des interkulturellen Diskurses nicht reißen soll.

Frage: Wenn wir die philosophischen Errungenschaften, die Brüche und die Kontinuitäten im Abendland betrachten, sehen wir eine ständige Konfrontation mit, aber auch den Anschluss an die jüdisch-christliche Tradition. Die Auseinandersetzung mit, und der Anspruch auf das Erbe von Athen und Rom und, mit Schmerzen und Vorbehalten, von Jerusalem ist besonders deutlich ausgeprägt in der deutschen Philosophie: von Jakob Böhme und Meister Eckhart über Martin Luther, Kant, Hegel, Marx und zuletzt Heidegger, Löwith, Bloch, Adorno, Horkheimer – und, natürlich, Benjamin. Man könnte fast sagen, dass das Christentum in den Hallen der deutschen Philosophie überlebt hat. Wenn das so ist, wie kann sich die europäische Philosophie dann gegenüber den Kulturen der Welt öffnen, ohne erneut auf den religiösen Kern in sich selbst zu reflektieren?

J. H.: Ja, ich sehe in der intensiven Begegnung mit »starken« Traditionen anderer Herkunft die Chance, der eigenen Wurzeln, also auch unserer Verwurzelung in jüdisch-christlichen Überlieferungen deutlicher inne zu werden. Solange sich die Mitspieler innerhalb desselben Diskursuniversums bewegen, fehlt der hermeneutische Anstoß zur Reflexion auf die selbstverständlichen, unausgesprochen bleibenden Motive im Hintergrund. Dieser Reflexionsschub behindert die interkulturelle Verständigung nicht, sondern macht sie erst möglich. Alle Teilnehmer müssen sich über die Partikularität der jeweils eigenen Denkvoraussetzungen klar werden, bevor sich die gemeinsamen Diskursvoraussetzungen, Interpretationen und Wertorientierungen herausschälen können.

Das Abendland begegnet anderen Kulturen heute in Gestalt der überwältigenden Infrastruktur einer durch Wissenschaft und Technik bestimmten kapitalistischen Weltzivilisation. In ihr haben sich unsere Rationalitätsformen materialisiert. Uns hingegen begegnen die anderen Kulturen nicht in erster Linie als fremde *Gesellschaften;* denn deren Strukturen erinnern uns noch an zurückliegende Phasen der eigenen gesellschaftlichen Entwicklung. Als fremde begegnen uns andere Kulturen vor allem in der Eigenart ihres religiösen Kerns. In unseren Augen ist die fremde Religion die Quelle der Inspiration der anderen Kultur. Das erklärt nicht nur die Aktualität Max Webers, sondern auch die Herausforderung für die europäische Philosophie, sich genau den Fragen zu stellen, auf die Sie hier insistieren.

Allerdings würde ich innerhalb der deutschen Tradition, die Sie mit Namen belegen, stärker differenzieren. Im Vergleich mit der englischen, französischen und amerikanischen Philosophie gibt es in Deutschland relativ wenig politisch denkende Geister. Das römisch-republikanische Erbe kommt erst mit Kant und Reinhold, Heine und Marx zum Zuge. Die Erfahrung der Französischen Revolution hat hingegen die Tübinger Stiftler Hegel, Schelling und Hölderlin dazu angeregt, Athen mit Jerusalem und beide mit einer Moderne zu versöhnen, die ihr normatives Selbstverständnis wesentlich aus dem egalitär-universalistischen Geist der jüdischen und christlichen Überlieferung schöpft. Unter dieser Fragestellung war es das zentrale Anliegen Hegels, die metaphysischen Grundbegriffe im Medium des heilsgeschichtlichen Denkens dialektisch zum Tanzen zu bringen. Dennoch lässt sich in der deutschen Philosophie bis in die Gegenwart hinein eine eher ästhetisch-platonische von einer sozial- und geschichtsphilosophischen Linie unterscheiden.

Die Tradition, die den griechischen, den ontologischen und kosmologischen Fragestellungen verpflichtet bleibt, tritt heute nicht nur in der klassischen Gestalt des philosophischen Idealismus auf, etwa in der Selbstbewusstseinstheorie von Dieter Henrich. Das metaphysische Interesse an der Verfassung des Seienden im Ganzen lässt sich auch in der Sprache der formalen Semantik oder der Erkenntnistheorie verfolgen und kann, wie in der gegenwärtigen Diskussion über das Verhältnis von Geist und Körper, sogar in der Sprache des Naturalismus verhandelt werden. Dieser Mainstream unterscheidet sich in Fragestellungen und Grundbegriffen von den philosophischen Schulen, die durchs historische Denken revolutioniert worden sind. Sie haben jene existentiellen oder weltgeschichtlichen Themen aufgenommen, die bis dahin der Theologie und ihren heilsgeschichtlichen Reflexionen vorbehalten waren. Exemplarische Figuren sind natürlich die großen Außenseiter des 19. Jahrhunderts – Marx, Kierkegaard und Nietzsche. Hierher gehören alle zeitdiagnostisch empfindlichen Richtungen, die Kategorien der lebensweltlichen und lebensgeschichtlichen Erfahrung zu philosophischen Grundbegriffen promoviert haben – ich denke an Begriffe wie Sozialität, Sprache, Praxis und Leib, Kontingenz, Handlungsraum und historische Zeit, intersubjektive Verständigung, Individualität und Freiheit, Emanzipation und Herrschaft, die Antizipation des eigenen Todes usw.

Allerdings würde ich innerhalb dieser historisch denkenden, zeitdiagnostisch empfindlichen Strömungen, die stärker von »Jerusalem« als von »Athen«, stärker vom religiösen als vom griechisch-metaphysischen Erbe inspiriert sind, noch einmal die Traditionslinie des dialektischen Denkens hervorheben. Diese Traditionslinie, die sich von Jakob Böhme über Oetinger und Schelling, Hegel und Marx bis zu Bloch, Benjamin und, wenn man will, Foucault erstreckt, steht im Gegensatz zu einer mystischen Linie des Denkens, die mit Meister Eckhart beginnt und mit Heidegger, vielleicht Wittgenstein einstweilen endet. Während die mystische Versenkung sprachlos ist und einen Modus der Anschauung oder des Andenkens prämiert, der der Vernünftigkeit des diskursiven Denkens entsagt, hat das dialektische Denken immer die intellektuelle Anschauung, den intuitiven Zugang zum vermeintlich Unmittelbaren kritisiert. Die Dialektik erkennt in der Produktivkraft der Negation den eigentlichen Antrieb, den Motor einer selbstkritischen Vernunft, die Hegel als die Rose im Kreuz der Gegenwart feiert. In dieser Tradition arbeitet sich die Philosophie ernsthaft am Theologumenon der Menschwerdung Gottes ab – an der Unbedingtheit des moralischen Sollens angesichts der Radikalität des Bösen, an der Endlichkeit der menschlichen Freiheit, an der Fallibilität des Geistes und der Sterblichkeit des individuellen Lebens. Die Dialektik nimmt die Frage der

Theodizee ernst – das Leiden an der Negativität einer verkehrten Welt. Diese könnte gar nicht als etwas Negatives oder Verkehrtes erfahren werden, wenn sie naturalistisch sozusagen in der Indifferenz eines bloß kontingenten Geschehens verharrte. Mich hat beispielsweise schon während des Studiums Schellings Schrift »Vom Wesen der menschlichen Freiheit« interessiert.

Frage: Viele haben bemerkt, dass die Frankfurter Schule nicht ohne Marx, aber eben auch nicht ohne die jüdische Tradition möglich gewesen wäre. Die meisten aus der älteren Generation der Frankfurter waren Juden. Sie haben ihre Kritik der Gesellschaft – und im Lichte dieser Kritik ihre Wahrnehmung des Holocaust – aus der prononcierten Sicht auf das »beschädigte Leben«, auf das Barbarische und Totalitäre des Zeitalters entfaltet. Sehen Sie sich als Erbe dieser Strömung, die ja inzwischen nicht mehr so »unterirdisch« verläuft wie früher?

J. H.: Nun, Adorno selbst hat seine Kritik an der Verdinglichung interpersonaler Beziehungen und intrapsychischer Regungen als eine Konsequenz aus dem Bilderverbot verstanden. Verdinglichung ist Vergötzung, die Verkehrung eines Bedingten ins Unbedingte. Das negativ-dialektische Denken soll das Nicht-Identische an Dingen, die durch unsere Abstraktionen vergewaltigt werden, retten. Es soll die Integrität des durch unvermeidliche Subsumtion verstümmelten Individuellen wiederherstellen. Adornos Versuche folgen der Intuition, dass eine wild gewordene Subjektivität, die ringsum alles zu Objekten macht, sich zum Absoluten erhebt und dadurch gegen das wahrhaft Absolute verstößt – gegen das unbedingte Recht einer jeden Kreatur auf Unversehrbarkeit und Anerkennung ihrer selbst. Der Furor der Vergegenständlichung lässt im vollständig individuierten Anderen den Wesenskern außer Acht, der die Kreatur zum »Ebenbilde Gottes« macht.

Philosophisch gesehen, ist im Ersten Gebot der folgenreiche kognitive Schub der Achsenzeit festgehalten, nämlich die Emanzipation von der Kette der Geschlechter und von der Willkür der mythischen Mächte. Damals haben die großen Weltreligionen – mit der Ausbildung von monotheistischen oder akosmischen Begriffen des Absoluten – durch die gleichmäßig glatte Fläche der narrativ verknüpften kontingenten Erscheinungen hindurchgegriffen und jene Kluft zwischen Tiefen- und Oberflächenstruktur, zwischen Wesen und Erscheinung aufgerissen, die den Menschen erst die Freiheit der Reflexion, die Kraft zur Distanzierung von der taumelnden Unmittelbarkeit geschenkt hat. Mit diesen Begriffen des Absoluten oder Unbedingten trennen sich nämlich die logischen Beziehungen von den empirischen, trennt sich die Geltung von der Genesis, die Wahrheit von der Gesundheit, die Schuld von der Kausalität, das Recht von der Gewalt usw. Damals ist die Konstellation von Begriffen entstanden, die noch der Philosophie des Deutschen Idealismus die Fragestellungen vorgibt: das Verhältnis von Unendlichem und Endlichem, Unbedingtem und Bedingtem, Einheit und Vielheit, Freiheit und Notwendigkeit...

Diese Konstellation ist erst nach Hegel, mit den Junghegelianern und mit Nietzsche erneut in Bewegung gekommen. Aber dieses »nachmetaphysische« Denken ist zutiefst zweideutig geblieben. Es ist bis heute von der Regression zu einem »neuen Heidentum« bedroht. So nannten die jungkonservativen Vorreiter des Faschismus Anfang der 30er Jahre ihre von Hölderlin und Nietzsche inspirierten Rückgriffe auf die archaischen Quellen der Vorsokratiker, auf die »Ursprünge« vor der Schwelle des Monotheismus und des platonischen Logos. Noch in seinem posthum veröffentlichten Spiegel-Interview spricht Heidegger in diesem polytheistischen Jargon: »Nur *ein* Gott kann uns retten...«. Die neuheidnischen Denkfiguren sind im Zuge der postmodernistischen Vernunftkritik erneut in Mode gekommen. Solche Metaphern wie »Vernetzung«, »Familienähnlichkeit«, »Rhizom« usw. mögen zunächst den unschuldig pragmatistischen Sinn gehabt haben, unsere Kontextsensibilität zu schärfen. Aber im Zusammenhang mit Nietzsches und Heideggers Metaphysikkritik gewinnen sie die Konnotation einer Abkehr vom universalistischen Sinn unbedingter Geltungsansprüche. Gegen diesen regressiven Sog des nachmetaphysischen Denkens hat sich Adorno gesträubt, wenn er der Metaphysik »im Augenblick ihres Sturzes« die Treue halten wollte. Nach Nietzsche ging es ihm eher um eine Vertiefung der dialektischen Kritik an der »Wesenslogik« als um den platten Antiplatonismus, der heute im modischen Sog des späten Heidegger und des späten Wittgenstein beinahe gedankenlos um sich greift. In dieser Intention, wenn auch nicht in den Mitteln der Durchführung, bin ich mit Adorno ganz einig.

Frage: Es ist klar, dass die Ausgangspunkte für die zweite Generation der Frankfurter Schule, und damit auch die Themen, verschieden waren und bleiben: der kalte Krieg, die Verteidigung der Demokratie, die Bewahrung und Forcierung der schwer errungenen Fortschritte der Aufklärung, die Kritik von neuen Formen der Verdinglichung, der Kommodifizierung, die Entdeckung der zivilisierenden Rolle des Rechts, die Überwindung der Bewusstseinsphilosophie usw. Aber hat nicht die Religion, in welchen Formen auch immer, aufgehört, Impulse zu geben für Ihre Art der Fortführung der Kritischen Theorie?

J. H.: Ich kann nicht für »die zweite Generation« sprechen, sondern nur für mich – oder in dem, was ich jetzt sage, vielleicht auch noch für Karl-Otto Apel. Ich würde mich nicht wehren, wenn mir jemand sagte, dass meine Konzeption der Sprache und des kommunikativen, verständigungsorientierten Handelns vom christlichen Erbe zehrt. Das »Telos der Verständigung« – der Begriff des diskursiv erzielten Einverständnisses, das sich an der intersubjektiven Anerkennung, also der doppelten Verneinung kritisierbarer Geltungsansprüche bemisst – mag ja vom Erbe eines christlich verstandenen »Logos« zehren, der sich ja (nicht nur bei der Quäkern) in der kommunikativen Praxis der Gemeinde verkörpert. Schon die kommunikationstheoretische Fassung des Emanzipationsbegriffs in »Erkenntnis und Interesse« konnte man als die profanisierende Übersetzung eines Heilsversprechens »entlarven«. (Allerdings bin ich mit der Verwendung des Ausdrucks »Emanzipation« jenseits des Bereichs der biographischen Entwicklung einzelner Personen inzwischen vorsichtiger geworden, denn soziale Kollektive, Gruppen oder Gemeinden dürfen nicht als Subjekte im Großformat vorgestellt werden.) Ich will nur sagen, dass mich der Nachweis theologischer Erbschaftsverhältnisse nicht stört, solange die methodische Differenz der Diskurse erkennbar ist, solange also der philosophische Diskurs der eigensinnigen Forderung einer begründenden Rede gehorcht. Eine Philosophie, die die Grenze des methodischen Atheismus überschreitet, verliert in meinen Augen ihren philosophischen Ernst.

Eine große Bedeutung hatte für mich übrigens ein Lehrstück der mystischen Spekulation Jakob Böhmes über die durch Kontraktion entstandene »Natur« oder den »dunklen Grund« in

Gott. Später hat mich Gershom Scholem auf das Gegenstück, Isaak Lurias Lehre vom Zimzum, aufmerksam gemacht. Interessanterweise sind über Knorr von Rosenheim und den schwäbischen Pietismus diese beiden unabhängig voneinander entwickelten Spekulationen in das Denken von Baader und Schelling, überhaupt in den nach-Fichteschen Idealismus eingegangen. Schelling hat jedenfalls in der erwähnten Freiheitsschrift und in seiner Philosophie der Weltalter an diese Tradition angeknüpft und das Spannungsverhältnis von »Egoität« und »Liebe« in Gott selbst verankert. Die gewissermaßen »dunkle« Tendenz zur Verendlichung, zur Kontraktion soll Gottes Fähigkeit zur Selbsteinschränkung erklären. Das hat mich schon in meiner Dissertation beschäftigt.

Und zwar geht es um jenen entscheidenden Moment der Erschaffung des ersten Adam, als das Weltalter der idealen Schöpfung – die sich ja wie die Bewegung der Hegelschen »Logik« nur im Geiste Gottes vollzogen hat – vollendet werden soll. Gott muss sich, damit er sich in seiner Freiheit durch ein Alter Ego bestätigt sehen kann, in eben dieser Freiheit einschränken. Er stattet nämlich Adam kadmos mit der unbedingten Freiheit des Guten und des Bösen aus und nimmt dabei das Risiko in Kauf, dass Adam von dieser Gabe den falschen Gebrauch macht, sich versündigt und die ideale Schöpfung im Ganzen mit sich in den Abgrund reißt. Er würde damit auch Gott selbst vom Throne stoßen. Wie wir wissen, ist dieser GAU, dieser größte anzunehmende Unfall eingetreten. Diese Erzählung löst das Theodizeeproblem um den Preis, dass mit jenem ersten schrecklichen Akt der Freiheit ein neues Weltalter, die Weltgeschichte eröffnet wird. In diesem zweiten, historischen Weltalter muss der erniedrigte Gott selbst der Erlösung harren, weil sich die Menschheit die Last der Resurrektion der gefallenen Natur auf die eigenen Schultern geladen hat.

Dieser Mythos, und darum ist er mehr als ein bloßer Mythos, beleuchtet zwei Aspekte der menschlichen Freiheit: die intersubjektive Verfassung der Autonomie und den Sinn der Selbstbindung der Willkür an unbedingt geltende Normen.

Die Schöpfung des ersten Menschen kann nur deshalb die katastrophale Folge haben, dass die sozusagen in mente bereits vollendete Schöpfung historisch noch einmal von vorne beginnen muss, weil kein Subjekt, nicht einmal Gott selbst, ernstlich frei sein kann, bevor es nicht als freies von mindestens einem anderen

Subjekt anerkannt wird – also von jemandem, der in demselben Sinne frei ist (und seinerseits der reziproken Anerkennung bedarf). Niemand kann Freiheit für sich alleine oder auf Kosten eines anderen genießen. Deshalb darf Freiheit auch nicht bloß negativ als Abwesenheit von Zwang begriffen werden. Die intersubjektivistisch begriffene Freiheit unterscheidet sich von der Willkürfreiheit des isolierten Einzelnen. Niemand ist frei, solange nicht alle es sind. Der zweite Aspekt der Unbedingtheit des moralischen Sollens wird dadurch betont, dass mit dem Guten und dem Bösen, das sich die historisch handelnden Subjekte gegenseitig zurechnen, zugleich das Schicksal Gottes und der Welt im Ganzen auf dem Spiele steht. Die Menschen spüren die Wucht des kategorischen Sollens in der übermenschlichen Verantwortung für eine inverse Heilsgeschichte. Indem sie zu Autoren einer derart aufgeladenen Weltgeschichte eingesetzt sind, müssen sie sich vor ihr als einem Weltgericht verantworten, das ihrer Disposition unerbittlich entzogen ist.

Frage: Lassen Sie mich etwas direkter fragen. In Ihren Reflexionen zu einem Satz von Horkheimer (in: Texte und Kontexte, S. 110-126) sagen Sie am Ende: In einer Hinsicht »lässt sich vielleicht sagen: ›Einen unbedingten Sinn zu retten ohne Gott, ist eitel‹. Denn es gehört zur Würde der Philosophie, unnachgiebig darauf zu beharren, dass kein Geltungsanspruch kognitiv Bestand haben kann, der nicht vor dem Forum der begründeten Rede gerechtfertigt ist.« (S. 125 f.) Das haben Sie geschrieben, um den philosophischen Sinn von »Unbedingtheit« zu unterscheiden von der Unbedingtheit des religiösen Heilsversprechens, das in Anbetracht von Leid, Niederlage und misslungenem Leben Trost spendet. »Unbedingtheit« im philosophischen Sinne gründet in der Wahrheitssuche, und deshalb ist die Philosophie »nachmetaphysisch«, müsste es jedenfalls sein. Aber an anderer Stelle schreiben sie das Folgende: »Solange die religiöse Sprache inspirierende, ja unaufgebbare semantische Gehalte mit sich führt, die sich der Ausdruckskraft einer philosophischen Sprache (vorerst?) entziehen und der Übersetzung in begründende Diskurse noch harren, wird die Philosophie auch in ihrer nachmetaphysischen Gestalt Religion weder ersetzen noch verdrängen können.« (Nachmetaphysisches Denken, S. 60) Diese beiden Zitate verraten zwei widerstreitende Tendenzen in Ihren Arbeiten. Entweder wird die

Religion zur kommunikativen Vernunft verflüssigt und in Diskursethik aufgehoben; oder die Religion soll die Funktion haben, semantische Gehalte, die für Ethik und Moral, ja für die Philosophie selbst unaufgebbar sind, zu bewahren, gar zu nähren. Beides geht nicht zusammen.

J. H.: Da sehe ich keinen Widerspruch. In der Auseinandersetzung mit Horkheimer wollte ich nur zeigen, dass sich der Begriff einer unbedingten Wahrheit nicht nur mit starken theologischen Annahmen, sondern auch unter den bescheideneren Prämissen nachmetaphysischen Denkens verteidigen lässt. Das andere Zitat drückt hingegen die Überzeugung aus, dass in der religiösen Rede unaufgebbare Bedeutungspotentiale aufbewahrt sind, die von der Philosophie noch nicht ausgeschöpft, noch nicht in die Sprache öffentlicher, d. h. präsumtiv allgemein überzeugender Gründe übersetzt worden sind. Am Beispiel des Begriffs der individuellen Person, der ja in der religiösen Sprache der monotheistischen Lehren von Anfang an mit aller wünschenswerten Genauigkeit artikuliert worden ist, habe ich dieses Defizit, mindestens das Nachhinken philosophischer Übersetzungsversuche zu zeigen versucht. Nach meinem Empfinden fangen auch die bis heute entwickelten Grundbegriffe der philosophischen Ethik längst nicht alle die Intuitionen ein, die in der biblischen Rede bereits einen nuancierten Ausdruck gefunden haben und die unsereins nur durch eine halbwegs religiöse Sozialisation kennen lernt. Im Bewusstsein dieses Mangels versucht beispielsweise die Diskursethik eine Übersetzung des Kategorischen Imperativs in eine Sprache, in der wir einer bestimmten Intuition besser gerecht werden – ich meine dem Gefühl der »Solidarität«, der Bindung des Mitglieds einer Gemeinschaft an seine Genossen.

Frage: Darauf komme ich noch zurück. Aber bleiben wir zunächst bei dem letzten Zitat. Sie fügen da ein »vorerst?« in Klammern hinzu. Verstehen Sie das so, dass es das Ziel der Philosophie sei, die bewahrenswerten religiösen Gehalte vollständig zu assimilieren, zu übersetzen, zu verarbeiten und »aufzuheben«? Oder erwarten Sie, dass sich die Religion allen Versuchen einer solchen Intervention auch auf Dauer widersetzen wird – und dass sie deshalb immer unverdaulich und unzugänglich, in gewissem Maße auch autonom und unumgänglich bleiben wird?

J. H.: Ich weiß es nicht. Das wird sich herausstellen, wenn die Philosophie ihre Arbeit am religiösen Erbe mit größerer Sensibilität als bisher fortsetzt. Ich spreche nicht von dem neuheidnischen Projekt einer »Arbeit am Mythos« – diese Arbeit haben Religion und Theologie längst verrichtet.

Frage: Das Verhältnis zwischen Religion und Theologie ist dem von Lebenswelt und Philosophie nicht unähnlich. Wie der Horizont der Lebenswelt bei jedem Schritt der philosophischen Explikation weiter zurückweicht, so entzieht sich auch die Religion jedem Versuch der Theologie, ernstlich in die inneren Bezirke der religiösen Erfahrung vorzudringen. Könnte es nicht sein, dass die widersprüchlichen Einstellungen zur Religion, die mir in Ihrem Werk auffallen, von einer Verwechslung der Religion mit der Theologie herrühren?

J. H.: Ich sehe, worauf Sie hinauswollen. Die Theologie würde ihre Identität einbüssen, wenn sie versuchte, sich vom dogmatischen Kern der Religion und damit von jener religiösen Sprache abzukoppeln, in der sich die Gebets-, Bekenntnis- und Glaubenspraxis der Gemeinde vollzieht. In dieser Praxis bezeugt sich erst der religiöse Glaube, den die Theologie nur auslegen kann. Schon die Theologie hat gewissermaßen einen parasitären oder abgeleiteten Status. Sie darf sich nicht verheimlichen, dass ihre Explikationsarbeit den performativen Sinn des gelebten Glaubens niemals ganz »einholen« und »ausschöpfen« kann. Sie sagen nun: Von der Philosophie gilt das erst recht! Sie kann vielleicht der Theologie einige Begriffe »entwenden« (wie Benjamin das in seinen Thesen zur Geschichtsphilosophie ausgedrückt hat), aber es wäre der schiere Intellektualismus, wenn man von der Philosophie erwartete, dass sie sich auf dem »Übersetzungswege« die in der religiösen Sprache aufbewahrten Erfahrungsgehalte mehr oder weniger vollständig aneignen könnte.

In einer Hinsicht hinkt die Parallele freilich. Die Theologie kann die Religion nicht substituieren, denn ihre Wahrheit zehrt von dem offenbarten Wort, das von Haus aus in religiöser und nicht in gelehrter Gestalt auftritt. Aber die Philosophie hat eine ganz andere Stellung zur Religion. Was sie von dieser lernen kann, will sie in einem Diskurs ausdrücken, der von der offenbarten Wahrheit gerade unabhängig ist. Deshalb bleibt bei jeder philosophischen Übersetzung der performative Sinn des gelebten Glaubens auf der Strecke, auch bei Hegel. Eine Philosophie, die sich von »Geschicken« abhängig macht oder trösten will, ist keine Philosophie mehr. Das philosophische »Übersetzungsprogramm« zielt, wenn man so will, höchstens darauf ab, den profanen Sinn der bisher nur in religiöser Sprache angemessen artikulierten zwischenmenschlichen und existentiellen Erfahrungen zu retten. Heute denke ich eher an Antworten auf Grenzsituationen des Ausgeliefertseins, des Selbstverlustes oder der drohenden Vernichtung, die uns »die Sprache verschlagen«.

Frage: An vielen Stellen haben Sie zu begründen versucht, dass »Solidarität« und »Gerechtigkeit« zwei Seiten derselben Medaille sind. Zuletzt haben Sie in »Die Einbeziehung des Anderen« (S. 10) diese Idee sogar auf den Kern des christlichen Glaubens zurückführen wollen. Aber meint der spezifisch christliche Sinn von Liebe oder Solidarität nicht mehr als nur die gleiche Achtung – nämlich eine Sorge für den Anderen, die über jeden Anspruch auf Gerechtigkeit, auf Gleichbehandlung, auf Gegenseitigkeit der Belastung und Belohnung hinausschießt? Gott ist das »ganz Andere«, und diese Andersheit kündigt sich in der strikten Negation des Leidens eines Anderen an. Dieses Andere der göttlichen Epiphanie fordert uns zu einem Verhalten auf, das sich von allem Kalkül lossagt, von jeder »Triangulierung«. Das hört man aus den Appellen der Befreiungstheologen der Dritten Welt heraus, wenn diese uns etwa zur Solidarität mit den Opfern der brutalen Modernisierung auffordern. Am Vorrang, den das »Mitleiden mit den Armen« genießt, zeigt sich der christliche Vorrang der Solidarität vor der Gerechtigkeit. Sie ist gewissermaßen ursprünglicher als Gerechtigkeit.

J. H.: Ja, die christliche Liebesethik wird einem Element der Hingabe an den leidenden Anderen gerecht, das auch in einer intersubjektivistisch begriffenen Gerechtigkeitsmoral zu kurz kommt. Diese beschränkt sich nämlich auf die Begründung von Geboten, denen jeder unter der Bedingung folgen soll, dass sie auch von allen anderen befolgt werden. Für diese Selbstbeschränkung gibt es freilich einen guten Grund. Ein supererogatorisches Handeln, das über das hinausgeht, was auf der Basis der Gegenseitigkeit jedermann zugemutet werden kann, bedeutet die aktive

Aufopferung legitimer eigener Interessen für das Wohl oder die Minderung des Leidens des hilfsbedürftigen Anderen. Die Nachfolge Christi mutet dem Gläubigen eben auch das sacrificium zu – natürlich unter der Prämisse, dass wir dieses aktive Opfer, das im Lichte eines gerechten und gütigen Gottes, eines absoluten Richters geheiligt ist, freiwillig auf uns nehmen. Es gibt aber keine absolute Macht auf Erden. Hier, in unseren sublunaren Bereichen, ist denn auch das christliche Liebesgebot oft für fatale Zwecke und falsche Opfer missbraucht worden. Keine irdische Macht darf dem autonomen Willen ein sacrificium für vermeintlich höhere Zwecke auferlegen. Deshalb wollte die Aufklärung das Opfer abschaffen. Dieselbe Skepsis richtet sich heute gegen die staatliche Todesstrafe, übrigens auch gegen die Legitimität der allgemeinen Wehrpflicht. Das ist der Grund für die vorsichtig-resignierende Beschränkung auf eine Moral der Gerechtigkeit. Diese mindert ja nicht unsere Bewunderung für eine absolute Hingabe an den Nächsten, erst recht nicht unseren Respekt, ja die Hochachtung vor jener unspektakulär selbstlosen Aufopferung, meistens von Seiten der Mütter und der Frauen, ohne die in vielen pathologisch entstellten Gesellschaften, aber nicht nur dort, das letzte moralische Band längst zerfallen wäre.

Frage: Ich muss noch einmal nachhaken. Dabei denke ich an die Art von Kritik, die Leute wie Gutierrez, Boff und Dussel immer wieder vortragen. Der Lebensstandard des größten Teiles der Weltbevölkerung ist, gemessen an dem der OECD-Gesellschaften, so elend, dass Symmetrie, Reziprozität, Reversibilität die falschen Maßstäbe für die moralische Beurteilung und für die Bekämpfung dieses drastischen Gefälles sind. Eine Gleichbehandlung würde übrigens schon aus ökologischen Gründen unerreichbar sein. Für die Befreiungstheologen ist deshalb eine Moraltheorie, die bei der abstrakten Gleichheit des »moral point of view« halt macht, bloß der Luxus eines Ausnahmezustandes, dessen sich die wohlhabenden Nationen der entwickelten Gesellschaften erfreuen. In allen anderen Ländern herrscht die Normalität eines Zustandes äußerster Deprivation und menschenunwürdiger Verhältnisse. Der Gesichtspunkt der Reziprozität ist dem nicht angemessen. Von uns wird einfach mehr erwartet, als sich an Verpflichtungen kontraktualistisch, durch eine Vereinbarung unter präsumptiv Gleichen, begründen lässt. Eine globale

Verantwortung verlangt ein Engagement, das weit über das hinausschießt, wozu wir moralisch verpflichtet sind. Das meinen die Befreiungstheologen mit der »vorrangigen Parteinahme für die Armen«.

J. H.: Ich lasse mal die Unterschiede zwischen Kantianismus und Kontraktualismus auf sich beruhen und will mich auch nicht auf den Einwand stützen, dass die Maßstäbe der sogenannten »abstrakten Gerechtigkeit«, wenn sie nur praktiziert würden, ganz und gar ausreichen würden, um die Weltgesellschaft zu revolutionieren. Stellen Sie sich bloß einmal vor, dass die G-7 Staaten eine globale Verantwortung übernehmen und sich auf Politiken einigen würden, die dem – kontraktualistisch begründeten – Zweiten Gerechtigkeitsgrundsatz von John Rawls genügen würden: »Soziale und wirtschaftliche Ungleichheiten sind so zu gestalten, dass vernünftigerweise zu erwarten ist, dass sie den am wenigsten Begünstigten den größtmöglichen Vorteil bringen«. Gewiss, für die großen Weltreligionen war die ungerechte Verteilung der Glücksgüter auf Erden immer schon eine zentrale Frage. Aber in einer säkularisierten Gesellschaft gehört das Problem zunächst einmal auf den Tisch von Politik und Ökonomie und nicht sogleich in die Schublade der Moral oder gar der Moraltheorie.

Was ist der Skandal? In der noch immer von Nationalstaaten beherrschten Welt gibt es noch kein politisch handlungsfähiges Regime, das eine unter moralischen Gesichtspunkten geforderte »globale Verantwortung« übernehmen könnte. Ebenso wenig sprechen die bestehenden Interessenlagen für die spontane Bildung eines gegensteuernden politischen Willens, der zwischen den verschiedenen Mitgliedern einer unerträglich stratifizierten Weltgesellschaft eine entsprechende »moralische Arbeitsteilung« implementieren könnte. Das brennende Problem einer gerechteren weltwirtschaftlichen Ordnung stellt sich in erster Linie als eine politische Frage. Wie eine demokratisch verantwortliche Politik den davonlaufenden globalisierten Märkten nachwachsen kann, ist jedenfalls keine Frage der Moraltheorie; dazu können Sozialwissenschaftler und Ökonomen mehr beitragen als Philosophen. Sie verlangt auf der analytischen Ebene eine Menge an empirischem Wissen und institutioneller Phantasie. Am Ende helfen freilich auch die besten Designs nichts, wenn die politischen Prozesse nicht in Gang kommen. Auf der praktischen

Ebene werden nur soziale Bewegungen über nationale Grenzen hinweg die nötigen Motivationen schaffen können.

Der Aufschrei der Befreiungstheologie, die den Mühseligen und Beladenen, den Unterdrückten und Erniedrigten eine Stimme geben will, steht ja in diesem Kontext. Ich verstehe ihn als die tätige Empörung über die Trägheit und die Unempfindlichkeit eines status quo, der sich im Strudel einer sich selbst beschleunigenden Modernisierung nicht zu bewegen scheint. Das »Mehr« ihres mutigen, aufopfernden Engagements, das weit über das allgemein Zumutbare hinausschießt, rechtfertigen die Beteiligten aus dem christlichen Liebesgebot. Von einer anderen Seite erscheint allerdings das Supererogatorische dieses persönlichen Einsatzes auch als ein – wie immer bewundernswerter – Reflex der Ohnmacht des Einzelnen gegenüber den anonym-systemischen Zwängen eines politisch entfesselten Kapitalismus, der nur die Sprache der Preise, nicht die der Moral versteht.

Frage: Wenn wir am Ende dieses Jahrhunderts zurückschauen und von dem, was gewesen ist, Rechenschaft ablegen wollen, kann man Habsbawm nur zustimmen: es war ein Jahrhundert der Extreme. Manche mögen hinzusetzen: es war ein Jahrhundert des radikal Bösen. In dem, was da im 20. Jahrhundert passiert ist, gibt es etwas, was zutiefst unverzeihlich ist, was wir nicht schlucken können. Was können wir von diesem »radikal Bösen« lernen – gibt es überhaupt etwas zu lernen?

J. H.: Der Holocaust ist bis zum Augenblick seines Eintretens unvorstellbar gewesen, also hat auch das radikal Böse einen historischen Index. Damit will ich sagen, dass eine merkwürdige Asymmetrie besteht in der Kenntnis des Guten und des Bösen. Wir wissen, was wir nicht tun dürfen, was wir auf jeden Fall unterlassen müssen, wenn wir uns selbst ins Gesicht sehen wollen, ohne rot zu werden. Aber wir wissen nicht, wozu Menschen überhaupt fähig sind. Und je mehr die Bosheit zunimmt, umso stärker ist offenbar die Nötigung, das Verschuldete zu verdrängen und zu vergessen. Das ist die deprimierende Erfahrung, die ich im Laufe meines erwachsenen politischen Lebens in der Bundesrepublik Deutschland gemacht habe. Aber ich hatte auch das Glück, eine andere Erfahrung zu machen, die mir zumindest die Hoffnung gibt, dass Richard Rorty nicht ganz Unrecht hat, wenn er als

Amerikaner sagt, was ich vielleicht nicht mit der gleichen Selbstsicherheit ausdrücken würde: »Nothing a nation has done should make it impossible for (citizens of) a constitutional democracy to regain selfrespect.«

Jürgen Habermas
im Suhrkamp Verlag

Philosophie in der edition suhrkamp
Eine Auswahl